# AIの時代を生きる

## ——未来をデザインする創造力と共感力

美馬のゆり

岩波ジュニア新書 941

# はじめに

私たちの暮らしの中に、ＡＩ(Artificial Intelligence: 人工知能)の存在感は増してくる一方です。そのような状況の中で、自分たちの仕事がＡＩに取って代わられるかもしれないといった不安や、いまの生活がますます便利になるといった期待を、漠然と抱いている人も多いのではないでしょうか。そこで本書では、ＡＩとは何かを理解した上で、ＡＩの時代に生きていくこと、そしてよりよい社会を私たちはどのように実現していくべきかを、一緒に考えていきたいと思います。そのために参考となるいくつかの視点を示していきます。

コンピュータサイエンスと認知心理学、教育学の学術的背景をあわせ持つ筆者は、長年にわたって、ＡＩやロボットと共生する時代に必要な知識やスキルなどの学習内容とその学習方法について研究してきました。そうしたことを土台にしながら、まず1章では、現在ＡＩで何ができるのかについて紹介します。そこから今後私たちの家や暮らしがどうなっていくのか、まちがどう変わっていくのか、技術に焦点を当て紹介します。そしてその進む方向について立ち止まって考えます。

2章では、AIのメカニズムや考え方を明らかにします。その進歩に光を当てつつ、可能性と限界を俯瞰《ふかん》します。そこではAI研究から明らかになったみなさんのこれまで行ってきた勉強法の問題と、現在どのようなデジタル技術があるかも紹介します。みなさんが日々の学習を振り返り、近未来を想像するのに役立つことでしょう。

3章では、現在日本や世界が直面している課題とともに、AIが私たちの生活や仕事場に入ることによって、どのように変化を与えるか、その影響について考えます。AIの仕組みを理解し、活用するための手がかりになるはずです。AIの使い方を考え、ルールを作り、誰も取り残されないように社会をデザインしていくことが必要です。私たちがAIの仕組みを理解し、活用して、社会を作っていくためには、どのような見方、考え方が役立つのでしょうか。様々なところで芽を出しつつある、小さな動きだけれど大切に育てていきたいもの、重要なもの、その傾向をすくい取り、一緒に考えてみましょう。

AIやロボットが道具として日常にいきわたるようになると、単に便利なものを作る、使い方がわかるというだけでなく、もっと社会全体の幸せにつながるような、そんな関係を構築していくことが求められていくはずです。4章では、その時に鍵《かぎ》になる「共感」と「ケアの倫理」について掘り下げます。

5章では、現在中学生や高校生のみなさんが、いま何を学んで、どんな力をつけておけばよいのか。それをどうやって学んでいくかについて考えます。小学校ではプログラミングの授業が始まりました。しかしそれは何のためでしょうか。どんな知識や力を身につけるためなのでしょうか。すぐそこに来ている未来、すなわち、AIやロボットと共生する社会が、誰にとっても幸福な社会であって欲しいと願っています。そしてそれを作っていくのは、みなさん自身です。

最終の6章では、よりよい未来をデザインするために、いくつかの方法を示します。本書では、AIの技術的な説明から社会的な影響まで、いろいろ考えていくための視点を提供します。これから重要なのは、一人ひとりが考え、意見を出し合い、共有し、実行しながら振り返り、改善していくことです。よりよい未来をデザインするために、AIは何ができるのでしょうか。私たち人間は何をすべきなのでしょうか。

それではページをめくり、近未来の社会を見ていきましょう。

二〇二一年八月

美馬のゆり

# 目次

イラスト＝村山宇希

# 1章

# AIの時代がやってきた

「AIの時代」は既に始まっています。AIは私たちの生活にも知らず知らずのうちに入り込んできています。よりよい未来をデザインするために何が必要か、何ができるかを考えるために、まずはAIが浸透してくることで私たちの社会にこの先どんなことが起こるかを見てみましょう。

## ここまで来ている「未来」

二〇一五年、ロボットキッチンを開発している会社が、開発中のシステムのデモンストレーション動画をネット上で公開して話題になりました。それはセリフのないドラマのような感じです。

ある中年の男性が自宅とおぼしき台所の壁にあるモニタのメニューから、「おばあちゃんのスパゲティボロネーゼ」を選びました。すると、頭部や胴体《どうたい》はない、二本の腕だけのロボットが調理台の上を行ったり来たりして、まるで人間の腕のように動き出し、調理を始めました。スパゲティを鍋《なべ》で茹《ゆ》でる一方で、玉ねぎを刻んで挽肉と共にフライパンで炒《いた》めてミートソースを作り、仕上げにパセリをふりかける。茹で上がったスパゲティをお皿に盛り、そこに先ほどのミートソースをかけて、できあがり。男性はそれをおしゃべりが弾んでいる家族のテーブルの真ん中に持っていき、みんなで「いただきます！」。

場面は切り替わって、シェフが調理している風景に。そこにはシェフの腕の動きをセンサがリアルタイムで読み取り、腕の角度から指先、持っているものを認識し詳細に記録しています。調理が終わったところでシェフは、「アジア風サラダ完成」としてモニタのアップロードのボタンをクリックしました。

さらに場面は、若い男性の自宅に切り替わります。ソファでくつろいでタブレットを見ている男性の元に、新しいレシピが追加されたと通知が届きます。いろいろあるメニューから「アジア風サラダ」をタップして選び、恋人らしき女性に送信。すると女性の台所にある二本腕のロボットが調理を始め、できあがったタイミングで、仕事を終えた男性が花束を持ってやってきます。そして二人で「いただきます！」。二本腕ロボットは調理台の片付けまでするというおまけ付き。

この動画から、このキッチンロボットは、切る、混ぜる、炒める、茹でる、盛り付ける、片付けることが可能であることがわかります。またシステムとしては、世界中にいる契約シェフからレシピが追加され、ユーザは、レシピを検索し、時刻に合わせて調理を予約できることもわかります。

この動画を作った会社の経営者は当時目標として、二〇一九年に発売する予定であることや、標準的な家庭にあるシステムキッチンと同じ価格帯で、このロボットキッチンシステムを提供できるようにしたいと言っていました。そこから少し遅れましたが、二〇二〇年一二月、とうとう販売するに至ったと発表がありました。残念ながら価格は想定していたより高いようでした。

## まだまだこれからどんどん

「食」に関する新しい技術として、フードプリンタや培養肉《ばいようにく》などの研究開発も進んでいます。

3Dプリンタは、文字や絵をインクで紙に印刷するように、立体物を造形する装置です。現在、安価で手軽に扱える家庭用のものも出てきています。作るのは主に、樹脂《じゅし》や石膏《せっこう》を材料にした立体物ですが、フードプリンタは、樹脂や石膏、印刷用のインクの代わりに、チョコレートやソースなどを「食べられるインク」として、料理を立体的に作り出し、彩りを添えます。

ある研究開発チームは、現在多くの家庭にある電子レンジのような手軽さで、ハンバーガーを「印刷」できるようにすることを目標にしています。フードプリンタを使えば、アレルギーなど食事制限のあるユーザの状態に合わせることができるだけでなく、必要なだけ「印刷」するので食品廃棄の問題もなくなります。

そこに至るまでには、味だけでなく、食感や調理法など、まだ様々な困難がありそうですが、ミルクのような飲み物を提供する日が来るのは、そう遠くない気がします。例えば、ユーザのその日の健康状態を計測し、その生体情報に合わせて、脂質や糖質、ビタミンなどを調合するのです。好みの味にすれば、からだに良くて、おいしいことまちがいなし。

培養肉の研究開発も急速に進んでいます。培養肉は、食肉を牛や鶏、魚などの個体からでなく、食べることが可能な部位の「細胞組織を培養する」ことで肉を得るという方法です。この研究開発が順調にいけば、動物を殺す必要はなくなり、育てる際に出てくる二酸化炭素や糞尿《ふんにょう》などの問題もなくなり、環境にも良いというわけです。

牛のゲップやおならはメタンガスを大量に放出するため、地球温暖化を加速させるといわれているほどです。ちなみに牛一頭が一日に出すガスの量は、三〇〇から五〇〇リットルにもなります（北大リサーチ＆ビジネスパーク（https://www.hokudai-rbp.jp/news/38））。世界には、一〇〇万頭の牛が飼育されています。しかも大型の動物は育てるのに時間がかかることを考えると、この研究開発に期待が集まるのもわかる気がします。もちろん温暖化の原因はこれだけではないということは、みなさんご存知の通りです。

クリーンルームで培養される肉は、衛生的で安全といわれています。世界の食料不足問題への解決策となる可能性もあります。培養肉は日本では、人工肉、ニューミート、ラボミート(実験室ミート)、クリーンミートなどと呼ばれ、実用化に向け、企業で研究開発が急速に進められています。二〇二〇年一二月にはシンガポール政府が、培養鶏肉の販売を世界で初めて承認したことがニュースになりました。私たちが培養鶏肉のチキンナゲットを食べられるようになるのも時間の問題でしょう。

## チェスの世界チャンピオンに勝つ

料理におけるAIの応用では、これまで人間が思いつかなかったような料理を、ユーザの好みに合わせて提案してくれるシステムが既に開発されています。

世界最大のコンピューターメーカーがDeep Blue(ディープブルー)というAIを開発し、人間のチェスの世界チャンピオンのガルリ・カスパロフに勝利したのは、一九九七年のことでした。その後、このメーカーは自然言語(人が話す言葉)を理解し、学習し、人間の意思決定を支援するAIであるWatson(ワトソン)を作りました。そして二〇一一年に米国の人気クイズ番組「ジェパディ!」で、人間のクイズ王に勝利したのです。

チェスで勝つこととクイズ番組で勝つこととのあいだには、技術的な難しさに大きな開きがあります。チェスでは、敵は一人。動かせるコマも、その範囲も、チェスというゲームのルールによって決まっています。組み合わせの数は膨大ですが、有限であり、計算することは可能です。このような問題は、AIの分野では、「良定義問題(well-defined problem)」と呼ばれています。ある明確な条件や状況の下で、適切な解答を導き出すという問題です。オセロや将棋なども同様です。

一方、クイズ番組で出題される問題は、表現の仕方、質問の文章が常に同じであるとは限りません。人間同士の戦いを見ていてもわかるように、早さを競うことから、質問を最後まで聞かないと質問の意味を間違えてしまうこともあります。このような状況では、質問と答えを対《つい》にして丸暗記していても勝つことはできません。

クイズ番組では、まずは問題を理解し、ときには質問の途中で、それに続く質問内容を予測したり、関係のありそうな事柄を膨大な「記憶」(データ)から引き出してきたり、既に持っている知識を組み合わせて、そこから新しい知識を導き出して「作る」こともあります。新しい知識を作ることは、ある意味、創造的知能があるともいえ、クイズ王に勝ったのがニュースになったのは、AI研究が次のステージに移ったことを意味していたのです。

しかしながら、まだまだ私たちが日常生活で出会う問題は、この程度の知能では解決できないものが山ほどあります。研究や製品開発などでは、解決に必要な情報が問題の中にすべて含まれておらず、正しい解が一つに定まらない問題であふれています。これらは「良定義問題」に対して、「不良定義問題(ill-defined problem)」と呼ばれています。今後は、後者に関する研究開発が進んでいくでしょう。

## AIが料理に挑戦

クイズ王に勝利したWatsonはその後、料理の分野にも進出しました。世界各地の料理から、素材の香りや組み合わせ、嗜好性《しこう》(好み)に関する心理的なデータを解析し、そこから新しい独自のレシピを作れるようになったのです。このシステムはChef Watson(シェフワトソン)と呼ばれ、既に存在している料理のレシピを検索して提供するということにとどまらず、「和風」「イタリアン」「中華」などといった、それぞれの地域食らしい料理を新たに創作し、レシピとして提示してくれます。二〇一五年には制作したレシピからいくつかを選んで、人間のシェフが調理した写真とともに、ＡＩが作ったレシピ集として出版されました。

対戦相手が一人のチェスではなく、答えが一つに決まるクイズでもなく、創造的とも言われる料理分野に挑戦したのです。このシステムを開発するにあたりチームはまず、料理における創造性を「質」と「新しさ」であると定義しました。その「質」とはおいしさであり、「新しさ」とは味わったことのない驚きであるとして、人間が想像もしなかった素材や食感の組み合わせで、おいしいレシピを提案することを目指しました。

できあがったシステムでユーザはまず、料理に使いたい材料を複数選び、好きなスタイル、例えば、中華、イタリアン、フレンチ、ベトナム風などを選択します。そしてその日の食べる状況、例えば何かのお祝いか、日常の夕食かを選んだり、そのほか、食材の制限や好みを入力することによって、豊富なデータに基づいてレシピが提案されます。フルコースのメニューは、食前酒から、前菜、主菜、デザートまであります。ただしここではシステムはレシピを提供するだけで、作るのはあくまでも人間です。そしてそれを作って食べた人たちがそのレシピを評価し、システムにフィードバックすることもできます。

このシステムでは、人間の話す言葉(自然言語)を解釈する機能を用いて、人間の経験や知識を情報として取り込みます。そしてそれをシステムが理解できる言葉(プログラムやアルゴリズム、データなど)に翻訳し、分析することで、これとこれを組み合わせるとおいしいかもしれないという仮説を立て、それをシステム自身が評価し、さらに学習していきます。

一般に、機械には創造性はなく、創造性は人間だけの持つ強みであると考えがちです。しかし、創造性を新しい食材の組み合わせや調理法を提案する能力と考えれば、ここには創造性があるといえるのではないでしょうか。かえって料理や食材への思い込みや固定観念がない分、新しい可能性を提供できるという点では、このシステムの方が創造性があるかもしれません。

## 社会課題の解決のための技術

ここまでロボットやAIについて、食にまつわる新しい技術の話を紹介してきました。これらは確かに、未来を想像する上で、夢のある、おもしろい、そしておいしい!　話であることに違いありません。しかしここでちょっと立ち止まって考えてみてください。これらの技術を夢のある話だけでなく、現在世界で起こっている問題や、日本で起きている問題、身近な問題を解決することに使えないでしょうか。

国連が掲げたSDGs（持続可能な開発目標）の一七項目には、世界が解決しなければならない課題がまとめられています。世界では日々、飢餓や病気で亡くなる人たちが多く存在します。特に二〇二〇年の初めから世界的なパンデミック（感染拡大）を引き起こした新型コロナウィルス感染症は、仕事がなくなったり、日々の食べ物にも困る人を数多く生み出しました。食料や衣料が余っている地域がある一方で、足りない人たちがいる。仕事を探している人たちがいる一方で、人手が足りないところがある。

AIをはじめとする新しい技術を世界のこういった問題の解決に使うことができると、多くの科学者や技術者は考えています。例えば、人が生きていくために必要な食料について考えてみましょう。AIの技術を使って農作物の生育を助け、あるときは代替物を作り、それらの流通をどうすれば効率よく、効果的に行えるか。そこにAIの技術を使って最適解を見つけていけるはずだ、と。医療や教育をどうやって多くの人々に提供していくかという問題についても、同様に考えていくことができるでしょう。

しかしながら、これらの技術は使い方によっては、経済的な格差をますます広げるだけでなく、戦争に使われてしまう可能性もあります。そのような方向に進ませないためには、まずはAIの仕組みや考え方を理解し、仕事や生活の場でよりよく活用していくことや、さらに一歩進んで、将来開発していく側になることも、若い読者のみなさんならできるのです。

自分は理系科目が不得意だから、数学や物理、プログラミングが苦手だからと、現段階で得意不得意を決めず、まずはこの本を読んで、AIの仕組みやその可能性について知って欲しい、そして自分の将来進む道の可能性を広げて欲しい、そんな思いがこの本には込められています。

### 二〇年後の家を想像する

先ほどは台所や料理の話をしました。ここでもう少し視野を広げて、家の中を考えてみましょう。二〇年後の家の中を想像してみてください。そこにはどんなAIが活用されているでしょうか。近未来を描いた映画やアニメなどを見ている人は「こんな感じかな?」と具体的に想像できるかもしれませんね。

「スマートホーム」と呼ばれる技術開発の分野があります。「スマート(smart)」は英語で「かしこい」という意味です。それではスマートホームはかしこい家? それってどんな家なのでしょうか?

スマートホームは、デジタル技術を使って、便利で、快適で、安全に暮らせるようになるための住宅システムのことをいいます。ここでいうシステムとは、部品や要素をまとめた、仕組み全体のことです。

スマートホームで主に使われる技術として、ＩｏＴ（Internet of Things: モノのインターネット）やＡＩがあります。ＩｏＴとは、様々な「モノ（物）」、例えば庫内を見るカメラ付きの冷蔵庫やマヨネーズチューブなどがインターネットに接続されて、情報交換することで、その情報を活用できるようにする仕組みのことです。

冷蔵庫の中に入っているモノを知る、家族の誰がいつ冷蔵庫を開けたのかを知る、マヨネーズの量が少なくなってきていることを知る、野菜室にあるトマトの個数や食材の賞味期限を知る、などが考えられます。これが実現すれば、外出先から冷蔵庫の中を知り、必要なモノを帰宅途中にスーパーで買っていくこともできるようになります。それどころか、ネットで発注して、あるいは行動を予測して発注して届くのを待つだけかもしれません。

えっ、たとえ家族であっても「冷蔵庫を開けた」のまで知られるのはいやだなあ、ですって。たしかに、そうですね。そういう場合は、その機能を外すように設定すればいいだけです。反対にそうした機能が必要な人もいるかもしれません。使い方を選べるのであれば、より便利ですね。

このように冷蔵庫にＡＩが活用されれば、その日の家族のスケジュールや健康状態を計測し、冷蔵庫にある材料を使った夕食を提案する、なんてこともできるでしょう。家の中にあるモノのほとんどがインターネットに接続したら、そこから収集されるデータ量は膨大になります。ドアの開け閉めの状態だけでなく、いまみなさんの身近にあるペンや本、歯ブラシから靴までネットに接続していたら、あなたがいま身につけているカバンの中に入っているモノ、それぞれから何らかのデータが得られるとしたらどうなるでしょう。そこから得られる大量のデータを活用して、私たちが快適で、安全に生きていくのに必要な衣食住に関する環境を提供できるかもしれません。

現在「スマートハウス」という技術開発もあるので、ここでは「スマートホーム」との違いについてふれておきましょう。スマートハウスは、主にエネルギーや環境に配慮した住宅システムを指します。ソーラーパネルで電気を作り出して蓄えたり、断熱効果を高めて夏は涼しく、冬は暖かい家を省エネルギーで実現したりすることなど、いわゆる省エネを目的にした住宅の技術開発です。

そもそも英語でホーム(home)とハウス(house)は、どちらも日本語では「家」と訳されることがありますが、意味は少し異なりますね。前者は、「家庭」とも訳され、家族も含めた、安心できる居場所を意味します。物理的には家でないものも含まれます。他方後者は、「住居」とも訳され、物理的な、住む家そのもの、つまり家屋のことを指します。便利で、快適で、安全に暮らせる場所を実現するという意味では、二〇年後の家を「スマートホーム」として考えたいですね。

### スマートホーム実現のための技術

二〇年後の家は、どんな風になったらうれしいですか？　実際に考えて書き出してみましょう。一緒に住んでいる人の意見も聞いてみましょう。いろいろな意見が出てきそうですね。

朝起きるところから始めてみましょうか。

・朝、目覚ましがわりにカーテンが開く
・今日のスケジュールを教えてくれる
・体調に合わせた朝食メニューを提案してくれる
・使った食器やテーブルをきれいにしてくれる
・シーツや枕カバー、タオルなどの洗濯時期を教えてくれる

・部屋を掃除してくれる
・留守中、泥棒《どろぼう》が入らないように見張ってくれる
・玄関に誰か来たときに、その人が誰かを教えてくれる
・帰宅時間に合わせ、お風呂を準備してくれる
・夕食のメニューを提案したり、買い物リストを知らせてくれる
・家の中を一年中、快適な温度、湿度に保ってくれる
・お腹が空いたなと思ったら、好きな料理を作ってくれる
・好きな映画、興味ありそうな動画や音楽、ニュースを予想して、提案してくれる
・本を読みあげてくれる
・宿題を一緒に考えてくれる
・ゲームするのを、そろそろ終わりにした方が良いと言ってくれる
・寝るモードに移行するために、部屋の明かりを徐々に暗くしてくれる

たくさん出ましたね。既に、実現しているものもありそうです。二〇二一年の現在ではどうでしょう？　スマートスピーカーに話しかけるだけで、簡単な日用品が買えるようになっ

てきています。おうちに既にある人もいることでしょう。

さてここからさらに進めて、スマートホームを実現するには、どんな技術が必要かを考えてみましょう。そのなかでも三つの技術に注目して、見ていきます。

## スマートホーム実現に向けた三つの技術

一番めは、センサ(sensor)です。センサは日本語では感知器、検出器といいます。senseは感覚や気持ち、意識を意味し、sensorは「senseするもの」というところから来ています。検知するのは、温度や音量、明るさ、動き、圧力などです。センサはそれらを検出、測定、記録する装置です。脈拍や血糖など、身体に関わるデータもあります。味覚センサは、味物質特有の情報から、甘味、塩味、酸味、うま味、苦味の基本五味のほか、渋味、辛味など計測します。これらセンサは様々なものに埋め込まれ、先ほど出てきたＩｏＴの技術と組み合わさり、大量のデータを得ていくことが可能になります。この計測する技術を「スマートセンシング」といいます。

これに対し、離れた場所にあるものを遠隔で操作したり、計測したりすることを「リモートセンシング」といいます。リモート(remote)は遠隔という意味です。防災や宇宙開発など、人間が実際に行きにくい場所で活用されています。「スマートセンシング」と「リモートセンシング」を合わせてセンシング技術といいます。あなたが知っているセンサにはどんなものがありますか？　どんなセンサがあれば、より快適で安全なホームが実現できるでしょうか？

二番めの技術は、画像認識技術です。画像の特徴をつかみ、人、物、場所などを識別する技術です。AIの分野では現在最も研究開発が進んでいるものといえるでしょう。大量の動物の画像を読み込ませ、システムに学習させることで、そこに写っているものが「猫」か「犬」かを判断したりできるようになります。Facebook《フェイスブック》などで「あなたである可能性のある写真」といって知らされたことはないですか？　それはあなたの顔の特徴が認識されて、その特徴を持つ他の写真を探したことになるのです。

言葉を話し始めたばかりの赤ちゃんは、大人から犬や猫という概念(ある対象を表す言葉)を「わんわん」「にゃんにゃん」として教わります。すると赤ちゃんは、教わったときと異なる場面、異なる犬や猫についても「わんわん」「にゃんにゃん」として認識できるから不思議です。初めて出会った犬に対しても、それを猫と間違えることはありません。逆もまたしかり。不思議ですね。それに対しAIは、大量の犬と猫の写真データを読み込ませていき、徐々にその特徴を、違いを学んでいきます。

三番めは音声認識技術です。人の音声に関する技術で、スマートフォンや家庭電化製品(家電)などの機器に話しかけて、検索など、何か動作をさせるときに使われたり、画像認識と同様に、本人を識別するときにも使われます。人の話している言葉をデジタルデータに変換し、これまでに持っているデータと比較して、文字、文章を特定し、音声入力として、スマートフォンなどに命令できるようになります。コンピュータのキーボードを使わずに声で入力できるようになることから、テレビのチャンネルの切り替え、車の自動運転など、利用範囲は広がります。

既に売り出されているスマートスピーカーでは、インターネットとつながっている家電を音声でコントロールできるようになっています。今後、その範囲はもっと広がっていくことでしょう。現時点では、部屋の照明の明るさをコントロールしたり、エアコンの設定をしたり、お風呂を沸かしたりするだけです。電子レンジやオーブンなどの調理家電や自動車、家の防犯装置までコントロールできるようになる日はもうすぐそこまで来ています。

センシング、画像認識、音声認識の技術を基にして、スマートホームは開発されています。現在その研究開発は日本では、住宅メーカーのほか、関連技術を持っている通信会社、家電や設備機器メーカー、太陽光発電、セキュリティ会社などによって行われています。これらはみなさんが考える未来の家、理想の家に近いでしょうか。何か違和感はないでしょうか。あるとしたらそれはどんなことでしょうか。

## 未来の都市？　理想の都市？　スマートシティ

ここまでは、未来の家、スマートホームを見てきました。次は「家」を飛び出し、「まち」について考えてみましょう。スマートホームの次は、スマートシティです。

スマートシティとは、情報通信技術（ICT）とモノのインターネット（IoT）技術を統合して、まちを管理するための都市開発の未来像です。これには、地域の情報システムだけでなく、学校や図書館、病院、交通システム、発電所、上下水道、ゴミ、その他の地域サービスの管理が含まれます。

スマートシティを考える際、そこで活用されるAIに関する交通システムについては以下のようなものがあります。

①歩行者検知は、自動車がまちなかを走るとき、歩行者や自転車にぶつからないようにする技術です。特に夜間に車で走っていると、歩いている人は肉眼では見えにくいですよ

ね。そこで、人が近づいてきたら運転者に知らせたり、自動でブレーキをかけたりして衝突を回避したり、被害を軽減したりします。

②レーン追跡は、自動車を運転しているとき、白線がどこにあるかを調べ、白線からはみ出していないかを検知します。これと同時に前後左右の自動車を検知し、ハンドル操作を支援したり、一定の車間距離での走行を支援します。

③自動横断歩道(Automatic pedestrian crossings)は、いってみれば、スマート化された横断歩道です。横断歩道を渡ろうとしている人をカメラで自動認識し、自動で信号の表示が変わるもの。現在日本では押しボタン信号が主流ですが、その「押す」ということが不要になります。

④現在開発中の横断歩道には、道路に自動的に横断歩道が現れたり消えたりするものがあります。こちらもカメラで人を検知し、道路に埋め込まれたLEDライトが横断歩道を浮かび上がらせます。ボールを追いかけて突然道に子どもが飛び出てくると、近づいてくる車のその手前で道路に赤い警告表示が浮かび上がり、車を停止させます。混み具合によっても信号の周期を変えたりすることによって、待ち時間を減らしたり、危険を回避させることができます。

⑤スマートトランスポートは、日本でもいろいろな地域で実験が始まっている技術です。バスやタクシー、トラックなどを効率よく配車します。オンデマンドバスなどもその技術のうちの一部です。乗る人がいないで空で走ることもなくなり、人口の少ない地域でも、必要に応じて配車するため、無駄がなくなります。

これらは画像認識技術の進歩によるところが大きいのですが、今後は音声認識技術で環境の音情報もあわせて、状況判断に重要な役割を果たしていくでしょう。

交通違反者を取り締まる技術では、中国の映像を見たことがある人もいるでしょう。まちなかのいたるところにカメラがつけられています。例えば、赤信号で横断歩道を渡った人は、交差点の脇に設置してある巨大スクリーンにその映像が、名前とともに表示されてしまう場所もあるほどです。これは顔認識の技術を使って、横断歩道を渡っている人の情報と照合すれば、すぐに誰かがわかるのです。

みなさんは、こういった技術についてどう考えますか。賛成？　それとも反対？　それはなぜですか。

「ルールを守らなかったんだから、顔や名前が表示されてもしかたがない」でしょうか。それとも「個人情報が、そこまで赤裸々になるのは、おかしい」と思うでしょうか。

また、「いろいろと便利になるんだったら、我慢することも必要だ」と考えるでしょうか。技術の革新には、常にこうした問題がつきまといます。そうした疑問や問題を解決していくことが、同時に必要なのです。

これまで紹介してきたことからわかるように、スマートシティでは画像認識の技術がいろいろなところで活用されています。スマートシティを実現することで、便利になることがある一方、デメリットもあります。例えばいま紹介した顔認識を利用して違反者を表示することの問題はさきに述べた通りです。では、電子機器だけでなく、生き物や日用品までインターネットに接続され、相互に情報をやり取りできるとしたらどうでしょうか。飼っている犬や猫が迷子になったらすぐに探すことができる。誰がどんな動物や植物、食べ物が好きで、現在何を所有しているかがわかる。過去に何を持っていたか、今後は何が欲しそうかが他の人にわかる。どこに、誰と出かけたいかも予測できる。その情報を得て、商品を紹介してくれる人が出てくる。

スマートシティーに必要なものは、これら以外に他に何があるでしょうか。ソフトウェアベースの共有サービスとして、配車やカーシェア、ホームシェア、コワーキング(仕事場の共有)などもあるでしょう。既に受付に人がいなくてもホテルのチェックインができるところがあります。電車では一九九五年に開通した東京のお台場を走っている「ゆりかもめ」には運転士はいません。スーパーでも無人レジ(セルフレジ)が始まっています。その次に「スマート」になるのはどこでしょうか? スマート化したその中はどうなっているでしょうか。あなたの住んでいるまちがどのようにスマート化されていけば良いのか、ぜひ、まわりの人と一緒に考えてみてください。

果たして私たちの暮らしは便利になるでしょうか? ①から⑤までもう一度、一つ一つ、ゆっくり考えてみてください。何か問題はないでしょうか。例えば、どこかに蓄積されたそれらの情報が、悪用される可能性はないでしょうか。セキュリティの問題からも考えてみる必要がありそうです。

### まちづくりの新しい視点

ここまで技術革新に軸足を置いた「まちづくり」の象徴であるスマートシティについて見てきました。読者のみなさんの中には、技術のことなんかわからないし、と思った人もいるのではないでしょうか。便利になれば、なんでもいい、問題ないと考えた人もいるかもしれません。しかし、そうとはいえないことは、まえの段で気がつきましたね。それでは、ここからは別の視点でまちづくりを行った都市を見ていきましょう。

オーストリアの首都ウィーンは、「ジェンダー主流化(gender mainstreaming)」すなわち、ジェンダー平等の視点でまちづくりを進めてきて約三〇年になります。これからどういうまちをつくっていくかということを考え、計画を立て、予算を見積もり、実行に移していく役割を担うのは、行政(国、都道府県、市町村)の政策立案担当者や都市計画担当者たちです。約三〇年前まではヨーロッパでもその役割はほとんどが白人の男性だったといいます。

ウィーンのまちは、朝仕事場に出かけて、夕方に帰宅するという男性の視点で作られていたため、日中まちで過ごすことの多い、女性や子ども、高齢者にとって必ずしも居心地の良い、使いやすいまちではなかったのではないか、と疑問を持った人たちがいました。欧米ではほとんどの道に名前がつけられていますが、歴史ある、伝統的都市であるウィーンで調べてみると、なんと、そのほとんどが男性の名前だったそうです。

そこでまだ数少なかった女性の建築家を集め、新しいまちづくりを始めたところ、これまで見えなかった問題が明らかになってきました。例えば、仕事場と自宅を行き来する男性が多い中、女性は食事や子育てを担っているため、スーパーや幼稚園など、いろいろなところに立ち寄るということ。彼女たちが移動する手段は、自動車ではないこと。坂道の階段の上り下りに苦労している高齢者が多いこと。夜暗くなった道は、危険だと感じて女性が歩きづらいこと。公園では男の子が多く遊び、女の子の居場所が少ないことなどです。

そこから出てきたアイデアにより、公共交通手段のバスをベビーカーなどが乗り降りしやすくしたり、歩行者を優先するために信号機を変更したり、歩道の幅を広げたり、街路の照明を明るくしたり、といったことが実現しました。公園のバスケットコートでは、座ったり、観戦したり、おしゃべりしたりするエリアが設置されました。これらの改善によって、安心感が増し、みんなが長居するようになったということです。このほか、家族構成が変わっても、間仕切りなどを移動して部屋を容易に組み替えられる集合住宅も建設されました。

最近はベルリン、バルセロナ、コペンハーゲンなど、ヨーロッパの伝統的な都市が、ウィーンのように、ジェンダー平等の視点からのまちづくりの考え方を取り入れようとしてきているそうです。果たして日本はどうでしょうか。本当にそれが実現し、社会の中に根付いていくことで、特に「ジェンダー平等の視点」といわなくても、それが「目に見えない」、意識もしない、当たり前のようになる日が来るでしょう。

このことから、見えてくるのは、多様な視点を持つことの大切さです。そう、スマートシティを実現するのも、将来AIやデジタル技術者にならない人でも、ウィーンと同様に、まちづくりに携われる可能性があります。

そのまちに住むあなたは、誰のために、何のためにスマートシティを設計したいですか？どんなことができたら、誰もが住みやすいまちになるのでしょうか。それを実現するには、どんな技術が必要になるでしょうか。そこから考えていくことが大事なのです。

本書では、執筆している二〇二一年の時点での最先端技術に基づいて紹介しているので、内容がすぐに古くなってしまうかもしれません。でも何年か経ったところで、二〇二一年にはこんなことが問題になっていたのかという、「歴史書」として価値あるものになっているかもしれません。

近年、科学あるいは科学者たちによる判断の基準である「科学的合理性」によって決めることのできない問題が数多く出てきています。いま急速に進んできているデジタル技術、とりわけAIについての「今」を紹介し、それをみなさんが読みながら考えていくことは、未来のための記録としても重要な価値を持つと考えています。

# 2章
# AIってなに？

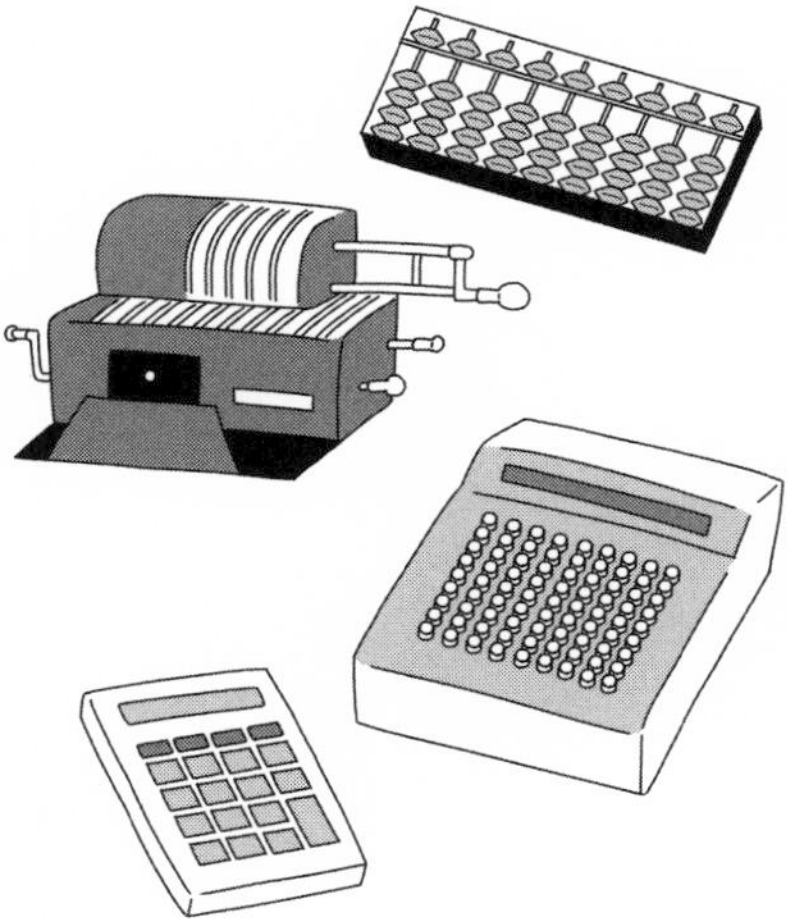

前章ではAIという技術によって私たちの生活がどのように変わっていくのかを見てきました。この章では、そこにどんな技術が使われているかを紹介します。新しい技術が登場し、社会に大きな影響を与えていくときに、それらを使いこなして生きていくためには、その技術について知っておくことは必要不可欠です。自転車に乗る時、あなたはハンドルとペダルとブレーキの関係や機能を理解し、ギアがあればそれも使えるようにしておくと思います。それと同様です。

## コンピュータってなに?

AIについて語るには、まずコンピュータのことを知らねばなりません。なぜなら、AIはコンピュータ上で動く、かしこい作業をさせるためのプログラムだからです。

コンピュータという言葉は、そもそもcompute(計算する)という動詞にものや人を表す接尾辞(-erや-or)がついたものです。英語で「計算する」を意味する単語にはもうひとつcalculateがあり、一般にcalculatorは、電子「式」卓上計算機(電卓)のことを指します。

「計算する」を意味するこの二つの単語は、コンピュータや電卓が誕生する前から存在し、同じような意味で使われていました。しかしながら現在は、compute と calculate は本質的には「計算する」を意味しながらも、calculate が四則演算《しそくえんざん》を中心とした数式を使った計算や計算する行為・プロセスに着目しているのに対し、compute はコンピュータを使って情報を生み出す行為として高度な数理的処理を含んだ規則を体系的に適用するものや、大量のデータを扱うものを含んでいます。compute という言葉が生まれてくる背景には、コンピュータが誕生するまでの技術の発展の歴史がありました。

コンピュータ以外にも計算する道具は存在します。古くは、くぼみのある石板と小石のセットから、そろばんや計算尺など、人類が作ってきた「数えるための道具」は、現在のコンピュータの祖先であるといわれています。

ヨハネス・ケプラーのようなルネッサンス期の天文学者は、惑星の位置を計算することを主な仕事としていました。このときコンピュータと呼ばれる職業の人、すなわち「計算する人」「計算手」を雇って計算を手伝ってもらっていました。コンピュータという言葉は、一七世紀初頭から電子式コンピュータが市販される前までは、数学的な計算を行う人を意味していたのです。

いわゆるコンピュータが登場したころは、主に数値計算、大きな桁《けた》の数や大量の数の計算を、人間より速く正確に行っていました。人間に代わって計算を機械にさせたいとして生まれたのが、機械式コンピュータです。現在世界に残っている最古の機械式コンピュータは、フランスのブレイズ・パスカルが一六四三年に作ったものです。これらのコンピュータは電気を使わないものでした。巧妙に組み合わせた歯車を回して加算と減算を行うことができました。その後一六九四年には、ドイツのゴットフリート・ライプニッツが加算と乗算用のコンピュータを試作しました。

その後改良が重ねられ、一八三〇年代なかごろから英国の数学者チャールズ・バベッジが記憶装置と演算装置を、穴の開いたパンチカードで外部からプログラムとして制御する方式を考案しました。さらに一九世紀終わりから二〇世紀にかけて急速に研究開発が進み、事務処理に広く利用されるようになりました。真空管《しんくうかん》やトランジスタを含む電子回路を用いた電子式コンピュータの登場です。電気信号は決められた電位より高い電位にあるか、低い電位にあるかの違いにより、ONとOFFの判別がなされます。トランジスタは二つの機能、小さな電気信号を大きくする増幅機能と、電気信号のONとOFFを切り替えるスイッチ機能を持っています。このONとOFFの二種の電気信号の組み合わせを使って、複雑な論理演算を含む動作を行わせます。一九六九年にアポロ11号の人類初めての月面着陸にあたっては、コンピュータの活用が大きな力となりました。

人と比べ、正確で高速に計算できるコンピュータなら、人間の「かしこさ」をさらに増幅させるような、あるいは、コンピュータ自身がかしこいものを作れるようにできるに違いないと考えた人たちがいます。コンピュータを人工の頭脳とみなし、人間の代わりに考えてくれる機械です。人の話す言葉を理解して対話したり、面倒な問題を解決してくれたりする、疲れ知らずのコンピュータです。

## 記号を扱うコンピュータ

コンピュータは、記号を扱う電子的な装置です。ここでいう記号とは、数字や文字列のことを指します。コンピュータの内部では命令は1(ON)と0(OFF)で表現されています。私たちがキーボードから入力する数字や文字列、例えば「りんご」も、コンピュータの内部では最終的には1と0の組み合わせで表されています。「りんご」と表示するコンピュータがあったとしても、私たちが考えている「りんご」の意味(例えば甘くて酸っぱい、木になる赤い果物)を理解しているわけではありません。

ハードウェアは、コンピュータの物理的な構成要素(電子回路や周辺機器)を指します。ハードウェアに対し、ソフトウェアは物理的な形を持たない、ハードウェアを動かす一連のプログラムを指します。ソフトウェアの中には、コンピュータを動かすプログラムであるオペレーティングシステム(OS)と、ワードプロセッサや表計算、ゲームなどのアプリケーションプログラムがあります。同時に多くの異なる作業を可能にするソフトウェアの存在が、私たちの暮らしを便利で、効率的なものにしています。

コンピュータは、プログラムと呼ばれる複雑な命令のセット(一連の塊《かたまり》)を格納し、それらを使用して定められた動作を実行します。ソフトウェアは一連のプログラムを指し、それを書くことをプログラミングと言います。プログラミングは、ある課題を解決するためにコンピュータを動かすのに必要な手段です。プログラムが効率よく動作するための手順や計算方法をアルゴリズムと言います。どういったデータを集めてきて、それらをどのような構造でコンピュータ上に格納しておくか、そしてそれをどのようなアルゴリズムで動かすかが、プログラミングで必要な基礎的な技術、腕の見せどころとなります。ばらばらになったデータを順に並べ替えるためのアルゴリズムを例にとってみても、単純なものから、複雑だけれど高速に答えを出すものまで、多種多様なものが存在します。代表的なアルゴリズムとしては、インターネット上で高速に検索を実行するものがあります。

人間がコンピュータに指示する手段はこれまで、キーボードやマウスが主なものでした。近年は、画面をタッチすることで指示を入力できる方法や、二次元バーコードのようにカメラから画像認識で読み取る方法、音声認識ソフトウェアなどが開発され、マイクから入力できるものも増えてきました。そしてこのマイクも、スマートフォンだけでなく、電化製品や玄関のドアなどに内蔵されるものも出てきています。

## AIの歴史を概観する

AIは、人間に代わってコンピュータに知的なふるまいをさせる技術です。AIの研究は一九五〇年代、パズルやゲームを解かせることから始まりました。迷路やオセロ、ハノイの塔のようにルールとゴールが決まっている、答えを探索する範囲の狭い、論理的に結論の出せるものが対象でした。このとき近い将来、人間のようにかしこいコンピュータができるに違いないと期待は高まり、世界中の研究者がこぞって研究を始めました。いま考えればかなり楽観的でしたが、その後大きな進展もみられなかったこと、コンピュータの扱えるデータの数や処理速度などの問題もあり、AIの研究は下火になっていきました。

一九八〇年代には、人間に解ける問題の多くを解決するAIを作ることを、最初から目指すのではなく、まずはある特定の領域だけに詳しく、かしこいコンピュータを作るというアプローチがとられました。これは専門家システム(expert system)と呼ばれました。例えば、症状を聞いて病気を診断したり、薬の飲みあわせについてチェックしたりするものです。

みなさんは、からだが熱っぽくて鼻水が出ると、風邪かもしれないと思うことがあるでしょう。高熱が出て、お腹が痛いなら虫垂炎《ちゅうすいえん》？　一般に医師は、症状や血液検査、レントゲン検査などの結果を組み合わせて考えることで、診断していきます。そういった知識や規則(判断のルール)をコンピュータがわかるように表現し、コンピュータが推論できるようにしたのです。当時、人間の専門家から知識を引き出し、コンピュータ上に表現する人を「知識エンジニア(knowledge engineer)」と呼びました。人間の知見や経験に基づいてルールを作っていき、それを追加したり、変更するのも人間の役割でした。

一九八〇年代のAIは、専門家の知識を人間なら常識といえるものから例外的な知識まで、すべて人間が教えてあげなければなりませんでした。教える内容は、事実と規則から構成されます。例えば、「サザエさん」という漫画の登場人物で説明すると、次のようになります。

事実①…サザエはタラの親である。

事実②…波平はサザエの親である。

規則…親の親は祖父母である。

ここから、波平はタラの祖父母であることが導かれます。このような事実と規則をコンピュータに入力していく必要がありました。

いろいろな分野の専門家システムを作り現実社会で活用していくことで、明るい未来が来ると考えていました。しかし実際に開発しようとしたところ、論理的ではあっても、人間の常識からはずれてしまう結論を出してしまうことが起こりました。そのため、常識を一から教えなければならず、ある分野に限っても知識や規則をどの程度のレベルで、どこまで入れておけばよいのかや、例外的なものがある場合の扱いなど、様々な問題が発生し、研究開発の熱は冷めていきました。

この頃機械学習(machine learning)の考え方が現れ、研究され始めました。機械学習はデータに基づいてAIをかしこくしていく手法の総称です。コンピュータに最初にどのような知識を与えておくか、またそこからどうやって学習させていくかの方法を考え、実現するかが重要なポイントです。与えられたデータから、そこにある規則性や関係性(パターン)を見つけ、推論や判断を行うための基準や規則を見つけていきます。

機械学習の中でも、コンピュータがパターンを見つける際の着目点を人間が指定し、そこからパターンを見つけ出し、分類し整理していく方法と、最初の着目点を人間が与えなくても、コンピュータが自らパターンを見つけ、分類し整理していく方法があります。

この三〇年の間にコンピュータの性能が飛躍的に上がり、インターネットを通じて多くのデータが集まるようになってきました。現在のAIブームのきっかけとなったのは、機械学習の中でも二〇一〇年ごろから盛んになった深層学習(deep learning)という機械学習の手法です(図2・1)。

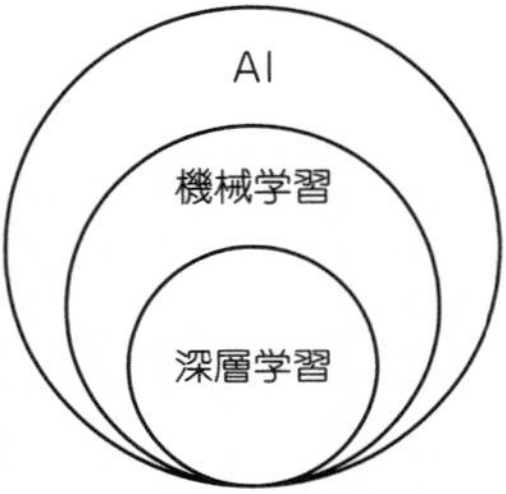

図 2・1　AI と機械学習、深層学習の関係

## 生物の神経回路網をまねる

ニューラルネットワーク(neural network)は機械学習の手法で、機械学習、深層学習の基礎となるアルゴリズムの一つです。これは、生物の神経回路網の機能と構造を人工的に数式を使ったモデルで表現したものです(図2・2)。生物のニューラルネットワークと区別するために、正しくは、人工ニューラルネットワークというべきかもしれません。日本語では、神経回路、神経回路網と書くと生物系のことを指し、カタカナで書くとAI分野での話にな

っていることが大半のようです。本書では、但し書きがない限り、人工的なものを指すことにします。

みなさんは生物の授業で、私たち人間の脳は何十億というニューロン（神経細胞）から構成されていることを習ったでしょうか。その図を思い出してみてください。各ニューロンからは、軸索《じくさく》と木の枝のように分かれた樹状突起《じゅじょうとっき》が伸び、その間にシナプスがありました。その突起が別のニューロンにつながり、それぞれが電気信号を発して情報をやり取りしていました。このシナプスのつながりの強さによって、情報の伝わりやすさが変わってきます。

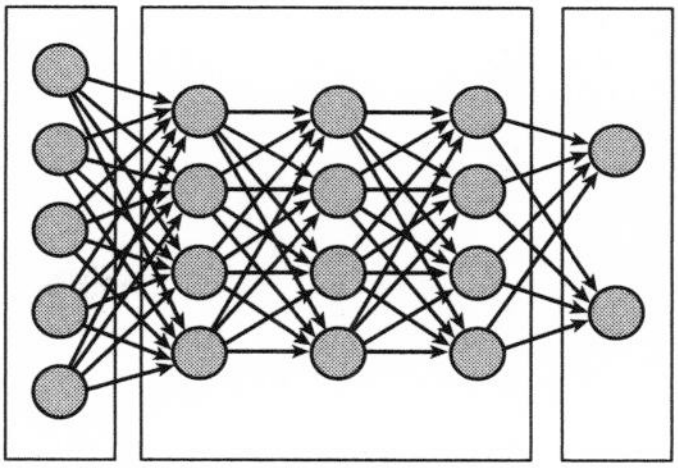

図 2・2　生物の神経回路網を模倣したニューラルネットワーク

生物の神経回路網を模倣したニューラルネットワークは、数式的なモデルで表現したもので、入力層と隠れ層と出力層の三つの層からなっています。隠れ層は、何段にも重なって多層化するほど学習の精度を高めていくことができます。

それぞれの層にある各ニューロン同士のつながりでそれぞれに信号を受け渡し、情報処理を行います。まず入力層のニューロンは、たくさんのデータを受け取ります。その次に隠れ層に次々とデータを引き渡していきますが、その過程で、それぞれのつながりは情報の重要さに従って、重み(太さ)が変化していきます。重要であれば数値が高くなってつながりは太くなり、そうでなければ細くなっていきます。この引き渡しでは、掛け算と足し算が行われています。そうやって重要度を変化させながら、出力層へと伝達していきます。この太さを変えていくところに、統計・確率の考え方が入ってきます。

膨大なデータとその重みの計算を瞬時に行い、結果を出していくことが繰り返され、学習が行われていきます。これによって、人間の予想を超えて認識精度が高くなりました。しかしその結果にたどり着いた根拠は示されず、既に人間がその理由を追えないぐらい複雑なものになってきています。この仕組みがAIを急速に発展させている一方で、このブラックボックス化はいろいろな問題も引き起こします。このことについては、あとで説明します。

深層学習はニューラルネットワークから発展したものですが、それまでのニューラルネットワークによる技術以上に大きな進展をもたらしました。ここでのAIエンジニアの役割は、AIに与えるデータの特徴を読み解きながら、目的に応じた機械学習のアルゴリズムを決め、解析結果の評価や調整を行うことです。また、集めたデータにはエラーやノイズがあるので、それらに何らかの処理を施して、データを分析しやすいように整えるという、データの前処理などを行います。

機械学習から深層学習へと続くAI技術の進歩は、一九九七年にAIが人間のチェスの世界チャンピオンに勝利し、二〇一一年に米国の人気クイズ番組で人間のクイズ王に勝利し、その後続いて、囲碁や将棋でも人間に勝ち始めたという形となって、多くの人が知るところとなり、社会で広く活用されるまでになってきています。

## 身近になりつつある深層学習

AIは、人間の知的な営みをコンピュータに実行させる技術の総称、機械学習はデータに基づいてAIを改善していく手法の総称です。そして機械学習の手法の一つに深層学習があります。学習能力がとても高いので、近年注目されています。飛躍的にAIを進化させた深層学習の技術が具体的にどんなところに使われているかを紹介しましょう。その可能性の広がりを五つの分野について実感してみてください。

まずみなさんの身近なところでは、インターネット上のサービスに使われています。毎日のようにスマートフォンで利用しているアプリです。スマホ画面上にキャラクターが登場して話し相手をしてくれるアプリでは、対話を続けていくことで返答の精度が上がっていきます。ここには、音声認識や自然言語処理などの技術が使われています。また、画像を検索、認識、加工するアプリにも応用されています。

二つめは自動運転などに代表される、自律型機械の分野でも、深層学習は大活躍です。スマートシティのところでも紹介したように、車が歩行者を検知したり、車線を追跡したり、交通標識を見分けたりすることや、ドローンが自ら空間内の三次元地図を作り、軌道を計画し、障害物を回避しながら飛行する際にも使われています。

三つめはエンターテイメントの世界です。ある動画に何が映っているのか、どういう場面であるかを判断する動画認識では、文字の検索と同様に、画像で似たものを探し出してくる画像検索や、検索をするためにその画像に写っているイメージの特徴を抽出したりします。このほか、写真や人の動きに合わせて自動的に動画を作り出す動画生成技術や、音声に関わる技術である、音声合成、音声変換、音声認識、音声対話など、ロボットやバーチャルキャラクターとの対話や、歌声合成などにも深層学習の技術は使われています。

四つめは医療の分野です。CTやMRIの画像から、人の目ではなかなか見つけにくい悪性腫瘍(がん)を検出したり、心電図《しんでんず》の波形画像から特殊な心臓病を特定したりするなど、活用されています。病気の診断だけでなく、このほかには、あるいくつかのデータから、今後どのくらいの割合で、ある病気が発症するかの発症リスク評価や、治療法の選択、そして新しい薬の開発(創薬)などにも大きな進歩をもたらしています。

五つめは安全や警備の分野です。画像認識や動画認識技術を使って、ビルの入り口で本人確認のために顔認識したり、ビデオカメラによる監視などで活用されています。近年、個人情報や企業の情報、国家の情報がネットワークにつながり、便利になった一方で、それらの情報が盗まれたり、書き換えられたり、それを元に多額の金銭を要求されたりする犯罪が世界的に起こっています。それを防ぐためのサイバーセキュリティ(情報セキュリティ)にも深層学習は使われています。

以上はほんの一例です。深層学習は様々な産業で実際に使われ始めています。

## 機械をかしこくする仕組み

現在のAI研究の飛躍的発展を支えているのは機械学習という手法です。人間が子どもから大人になっていく過程で、多くのことを学んでかしこくなっていくように、コンピュータが自ら学んでかしこくなっていくようにするという戦略です。ある一定のデータから機械が学習することによって、精度を上げていきます。

機械学習では、大量のデータからの学習を繰り返していくことで、その結果を法則化していきます。ここでできてくる法則のまとまりをAIモデルということもあります。この反復学習で、対象となるモノの特徴をつかんでいきます。事実と規則をあらかじめ人間が与えるのとは大きく異なり、機械学習の場合、データが多ければ多いほど学習が進み、作られるAIモデルの精度が上がっていきます。そしてこのモデルは新たなデータに対して、判断を行う基準となります。

この機械学習には、「お手本のデータ」がある学習と、そうでない学習があります。前者の場合、最初に既に正解か不正解を人間が判断した大量のデータを整理してコンピュータに与えます。例えば、この画像は猫です、と教えます。この学習の目的は、データに与える猫や犬などのラベル(標識)を特定するための特徴を特定して、そこから新しいデータで似たようなものが出てきた時に、それを適用できるようなAIモデル(学習によって見出された特徴や法則)を構築させることです。実際に、Facebookが何万枚もの写真から、あなたに似ているものを見つけたとき、「これはあなたですか?」と聞いてきて、「はいそうです」「いいえちがいます」といって、あなたがその判断の正誤を教えることになります。その結果を受けて、あなたの写真がもつ人の特徴のモデルを修正していきます。

これに対し後者は、ラベルづけや分類されたお手本のデータは存在しません。膨大なデータを解析して、隠れたパターンを探し出したり、分類したりすることを目標としています。これはあくまでも機械側が一つ一つのデータの類似度を解釈し、分類するもので、その集合がどんな意味を持っているかを機械が理解しているわけではありません。人間が考えたラベルや分類よりも認識精度が高くなった一方で、なぜそのようになったかの根拠が見えなくなるという欠点もあります。例えばオンラインショッピングで、同じ種類の商品を検索したり、実際に購入している人を見つけてグループ化し、その人たちに、「この商品を買った人は、こんなものも買っています。」とおススメするのは、この仕組みを使っています。

こういった方略が可能になったのは、コンピュータの処理速度が向上するとともに、大量のデジタルデータが集められるようになったことがあります。二一世紀に入り特に進んだのは、画像や動画として与えられたデータを認識して判断したり、人間の言葉を理解し対話できるようになったり、車やモノを自律的に動かしたりできる技術です。

機械学習では、過去や既知の大量のデータの中から法則性を見出すよう学習し、そこから未知のことや未来のことを予測していきます。過去の気象データから、台風や竜巻、雹《ひょう》の発生を予測したり、あなたの顔写真から特徴を抽出し、新たな写真が出てきた時にそれがあなたかどうかを判断するのです。つまり、データを解析し、AIモデルを作り、答えを導き出します。

実際に動きながら、結果を判断し、AIモデルがどんどん変化していく機械学習もあります。正しい結果が出れば「ご褒美《ほうび》」が与えられ、間違っていたら「罰」が与えられる。それによってモデルを更新していき、また実行する、ということを繰り返し行っていくことで、学習し、かしこくなっていきます。例えばゲームAIでは、正解、不正解は勝ち負けとして結果が現れるため、コンピュータ自身で判断でき、学んでいくことができます。人間が一生かけても経験できない回数のゲームをコンピュータ同士なら一晩で経験することができるので、強いAIプレーヤーに成長することが可能になります。

このように学習する機械は、画像を認識、判断することだけでなく、自動運転で車を動かしたり、ドローンを制御したり、どんな商品が売れそうかを予測したり、顧客が欲しそうなものを勧めたりという形で、私たちの生活の中に入ってきています。チャットボットや翻訳システムは、人間の言葉を理解し対話できているように見えますが、これは入力された音声やテキストから、キーワードや文章を拾い出し、過去のデータの中から類似のものを見つけて、人間に対応しているに過ぎません。言葉の意味を説明できる仕組みになっているわけではないことを覚えておいてください。

### 学び方に問題はあるか

自分でどんどんかしこくなっていく機械が現実にできあがっていくのはすばらしいことですが、ここで問題も出てきます。私たち人間は良いことだけを学んでいるわけではありません。ちょっとズルをして上手くいったら、またそれをしたくなってしまう。勉強をサボっても期末試験でたまたまうまくいくなら、次の時も最低限のことしかしない、なんていう経験はありませんか？

機械学習では、ズルをする、サボる、ということはしませんが、誤った結果を導いてしまうことがあります。膨大なデータをもとに学習していくので、そのもととなるデータに偏りや誤りがあったらどうでしょう。例えば、良いリーダーを予想する問題を考えます。二一世紀になって、国家のリーダーに女性がとても増えてきました。国際機関や産業界にも増えてきました。でも過去のリーダーのデータを読み込んで、将来どういう人がふさわしいかを予想させると、過去には男性が多いことから、「男性の方がふさわしい」というような結果を導いてしまうことがあります。

これはバイアスと呼ばれています。バイアスは、斜め、傾向、偏向、先入観を意味します。私たち自身も「バイアス」を持っています。例えば外国人と聞いてあなたはどんな姿を思い浮かべますか？　白人で、金髪で、英語を話す背の高い人というイメージを持つ人が多いのではないでしょうか。政治家や研究者、会社の社長と聞いて、男性を思い浮かべませんか。保育士、看護師、介護従事者、と聞いた時、そこに女性を思い浮かべる人のほうが多いかもしれません。

ＡＩを使って、ある地域に暮らす人たち一人ひとりが、どれぐらい犯罪を犯しやすい人物かが予想できたとします。それは社会にとって、また地域住民にとってありがたいことでしょうか。犯罪を未然に防ぐことにつながるわけですから、一見すると良いことのように思われますが、ここに問題はないでしょうか。導き出された結果は、あくまでも予想であることを覚えておいてください。

実際に米国では、再び罪を犯す可能性を判定するシステムが開発されました。犯罪の履歴や年齢、学歴、職歴、生活レベル、地域との関係、薬物使用履歴、宗教、家族の犯罪歴を入力すると、犯罪に関するこれまでの膨大なデータから結論を導き出します。つまり一度罪を犯すと、未来の犯罪者予備軍として認知されてしまうというわけです。このシステムを、私たちの日常生活に活かすことに何か問題はないでしょうか。またこうした情報を誰がどのように扱うかで、さらなる問題が出てきます。そこに示されているのは、あくまで可能性であって、実際の罪ではありません。こうした技術やシステムのありようについて、じっくり考える必要があると私は考えます。

またこんな研究もありました。画像に写った人物の性別を判定するプログラムで実験したところ、白人男性の正解率は高くても、女性や浅黒い肌の色の人種では低いことがわかりました。その理由を探ってみたところ、プログラムが学習するためのデータセット(データの集まり)に偏りがあったことが判明しました。白人男性のデータが、女性のデータや肌の色が異なる人のデータに比べて多く存在したのです。データが少なければ、十分に学習は進みません。そのような状況で、浅黒い顔の男性にある種の動物であるという偏見のあるタグがついてしまった問題も起こりました。そしてそれを解決しようと、新しい研究プロジェクトが始まりました(https://www.media.mit.edu/projects/gender-shades/overview/)。

データに偏りがあったり、誤ったものが含まれていたりすることから起こるAIのバイアスの問題を修正していくためには、そこで使われている技術やデータを公開していく、正解率を公開していく、そして問題が見つかれば開発者はそれを迅速《じんそく》に修正していくなどの対策が必要です。

それだけではありません。私たち人間の過去の歴史には、人を差別したり、偏見に満ちた呼び方や考え方が多くありました。それらを時間がかかっても改善しなくてはなりません。バイアスのかかった過去の膨大なデータをそのまま学習させれば、大きな誤った結果を導いてしまうことになるからです。これはＡＩの技術者だけの問題ではなく、私たち一人ひとりが、そしてみんなで技術やデータの信頼性と透明性を高めていく、たゆまぬ努力が必要なのです。

## 人間のようにふるまうＡＩ

コンピュータがどれぐらい人間に近づいたのか、人間と同じようにかしこいかの評価、判断はどうしたらよいでしょうか。

この問題について、英国の数学者で、コンピュータサイエンティストのアラン・チューリングは、チューリングテストと呼ばれるテスト法を考案しました。一九五〇年のことです。そのテストとは以下のようなものです。

人間（Aさん）が対話する二つの状況を作ります。対話相手が人間（Bさん）の場合と、コンピュータ（Cさん）の場合です。Aさんは別の部屋にいるのが、人間なのか、コンピュータなのかはわかりません。声の違いでわかってしまわないように、会話はキーボードから入力され、ディスプレイに表示される文字でやり取りします。Aさんが別の部屋の相手と会話していて、それがコンピュータか人間かを判別できなければ、そのコンピュータは人間と同等であるとみなすというものです。

すごいアイデアだと思いませんか。人間か人間でないかは、計算できるかできないか、文字が書けるかどうか、料理を作れるかどうか、といっていったらきりがありません。線引きはとても難しいのです。そこで、人間に見分けがつかなければ、それで十分かしこいといえるじゃないかというわけです。ここで「見分けがつく」のと「理解している」のは異なることに注意してください。

一方、哲学者のジョン・サールは一九八〇年に、コンピュータが「理解している」かどうかについて、中国語の部屋という話を作って思考実験を行いました。それは次のようなものです（『心・脳・科学』土屋俊訳、岩波書店）。

いま英語しか理解できない人が、一冊のマニュアルと紙と鉛筆を持って部屋の中にいます。

部屋には小さな窓があって、部屋の外から中国語で書かれた紙が差し出されます。部屋の中にいる人にとっては、書かれているのはまったく意味のわからない記号列で、ましてやそれが中国語であることもわかりません。その人はマニュアルに従って作業していくと、そこに書かれている記号の並びから別の記号の並びができあがり、それを紙に書き写し、先ほどの窓から外に差し出します。これを部屋の外からは、中国語で書いた質問の紙をその部屋の人に差し出すと、答えが中国語で正しく返ってくるように見えるというものです。

果たしてこの部屋の人は、中国語を「理解している」といえるでしょうか。これをさきほどのチューリングテストで考えれば、合格、すなわち中国語を理解しているとなるでしょう。サールはここで、外から見ただけで、理解している、知能があるとするのは誤りであると主張します。このことをさらに広げて考えれば、コンピュータに感情や意識を持たせられるか、という議論にもつながります。あなたは将来コンピュータが感情や意識を持つと考えますか。

チューリングテストや中国語の部屋に共通するのは、コンピュータは私たちが通常人間に対して考えている「かしこい」「理解している」「翻訳ができる」という状態とは異なるということです。しかしながらそれらの機能や結果を私たちの生活に役立てることはできます。人間に比べコンピュータは、膨大な記憶力をもち、高速に計算ができることから、その利用はさらに進んでいくと考えられます。未来がそのように進んでいくとすると、人間にしかできないことは何なのかが気になってきます。次章ではそのことについて考えていきたいと思います。

ちょっとその前に、日本で話題になったＡＩ研究のお話と、現在どんなデジタル技術があるかまとめて見ておきましょう。みなさんが日々の学習を振り返り、近未来を想像するのに役立つことでしょう。

### 東《とう》ロボくんの挑戦から

東ロボくんを知っていますか？　東ロボくんは、国立情報学研究所が中心となって二〇一一年から行われているＡＩの研究開発プロジェクトです。二〇一六年度までに大学入試センター試験（現在の大学入学共通テスト）で高得点をマークすること、二〇二一年度に東京大学に合格する能力を持つことを目標として始まりました。このプロジェクトの目的はそもそも、東大に入ることではなく、ＡＩの可能性と技術の限界を見定めるための取り組みとしてスタートしました。その当時のＡＩ研究者の八割は合格できると考えていて、研究に参加したのは「できない」と考えたメンバーだったそうです。

このプロジェクトで研究開発が進められる中、二〇一五年一〇月にＡＩの囲碁プログラムであるAlphaGo(アルファ碁)が人間のプロ棋士に勝利しました。そこから「ＡＩが囲碁で勝てるなら年間三〇〇〇人合格者が出る東大に入学できる」と確信に変わったそうです。

入試問題を解くためにはどんなＡＩ技術が必要でしょうか。前章で紹介したＩＢＭのWatsonは、まず問題文の形式をつかんで、データから統計をとって穴埋め問題に回答しています。読解しているわけではなく、学習した重みづけにしたがって判断しているだけなのです。

スマートスピーカーのＳｉｒｉは、「この近くのおいしいイタリア料理の店を教えて」と言うと、答えを提供してくれます。これはスピーカーの位置をＧＰＳで得て、「イタリア」「料理」「おいしい」などのキーワードを拾って検索し、結果を出しています。したがって、「この近くのまずいイタリア料理の店は」と尋ねると、探せないというのは有名な話です。

東ロボくんも文章を読んで理解しているわけではなく、統計的に判断しているので、統計がうまく使えない正誤判定問題や同義文判定、小論文は苦手だそうです。そのレベルの東ロボくんが、代々木ゼミナールの模擬試験「東大入試プレ」二〇一六では数学の偏差値は七六となり、ベネッセの五教科模試だと偏差値が五〇から五五。七五六大学中、五三五大学に合格できる結果が出るまでになりましたが、このあと東ロボくんの成績は頭打ちになりました。

ここでこのプロジェクトリーダーの新井紀子さんの頭の中に一つの疑問が浮かびます。言葉の意味を理解していない、読解をしていないＡＩが七五六大学中、五三五大学に入学できる成績になってしまっている。これはＡＩがかしこくなったというより、実はほとんどの中高生は問題文が読めていない、理解していないのではないか。読めなくても合格してしまっているのではないか、というものです。

この考えを検証するために二〇一五年に開発されたのが「リーディングスキルテスト」です。小六から社会人までのべ二万五〇〇〇人を対象に行いました。問題はすべて選択式で、読解力さえあれば、その問題に関する知識がなくても解くことができるものです。その結果、中学生、高校生もＡＩと同程度の読解力しか持っていなかったことが判明しました。

そこで新たな研究の目標「中学を卒業するまでに全員が中学の教科書を読めるようにする」が生まれました。このお話は既に複数の書籍が出版されているので、興味のある方は読んでみてください。

ここで東ロボくんプロジェクトを紹介したのは、ＡＩの研究の目的はかしこいコンピュータを作ることにとどまらない、ということを知って欲しかったからです。深層学習では、結

デジタル装置を通して現実世界にCG等のデジタル情報を加える技術。現実には起こり得ない表現や物理的に実現できない事を再現できる。

人の脳の知的な働きをコンピュータ上で実行させるシステム。一つの作業への特化型や学習をして改善をする汎用型がある。

仮想現実 特殊なゴーグルを装着し、仮想空間を体験することができる。日常の中では体験できないことを体験することができる。
ウェアラブルデバイス

身体に装着して活用する端末。心拍数や体温などの身体情報の計測や、GPSで運動量を記録することにより健康管理ができる。

eラーニング

遠隔会議システム
顔を見ながら遠隔でコミュニケーションできるシステム。電話やメールより円滑なコミュニケーションができ、資料の共有も容易にできる。

コンピュータの使用による災害、誤用起きないように対策を行う技術。情報の漏洩、ウイルス感染やデータの不正アクセスを防ぐ。

人間の生態や特徴を利用して個人を識別する技術。指紋や顔・目(虹彩)・声などを登録し照合してセキュリティを解除する。

人に代わって作業を行う自律的な機械。人が行うには危険な作業や単純作業に向いている。定期的なメンテナンスが必要。


図2・3　25のデジタル技術 ©Noyuri Mima Lab

## 3D プリンター

3 次元のデータをもとに、立体物を造形するための機械。
積層して造形するため、空洞や、複雑で繊細な形を造形できる。

## 音声認識

音声の特徴から話者を識別したり会話を文字に変換する技術。
自動翻訳や AI スピーカーなど幅広く利用されている。

## GPS

（全地球測位システム）

衛星を通して地球上の現在位置を測定するシステム。
行動の軌跡や写真を撮影した場所を記録することができる。

## ドローン

（無人航空機）

遠隔操作型の小型航空機の一種
ものを運んだり、カメラを積んで空から撮影をすることができる。
強風に弱く天候に左右される。

## ビッグデータ

データベースシステムでの扱いが困難な膨大で複雑なデータの集合。AI 等と併用して分析することでビジネスなどに活用できる。

## IC タグ

自動的にものの認識や判別を行うために使う、電波チップを内蔵した小さい札。
自動での記録、読み込みによって作業を省略できる。

## チャットボット

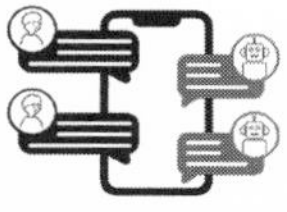

人工知能を活用した自動会話プログラム。人が使用した単語を分析して最適な返答を提示することで、効率化や人的資源の削減につながる。

## 画像認識

色や形を読み取って、画像に写っているものを識別する技術。形や色、数、明暗を抽出して、分析する。

## 自動翻訳

文字や音声から言語を認識し、その場で他言語に変換し出力するシステム。音声や文字で出力が可能。

## 電子マネー

通貨や紙幣、クレジットカードの代わりにデジタルデータを用いて決済する仕組み。
現金を持ち歩く必要がなく、スムーズな決済が可能になる。

## SNS

（ソーシャル・ネットワーキング・サービス）

インターネットを介して人間関係を構築できるサービスの総称。
広告や宣伝を早く広めることができ、ビジネスでも多く使用されている。

## 近距離無線通信

短距離を通信できる無線通信規格の一つ。
磁気に比べて衰えがなく、機器同士の接続が早く安定している。

## IoT

(internet of things)

インターネットを通して家電や電子機器といったモノに通信機能を持たせたもの。データの送受信を行い、遠隔操作や自動制御を行う。

## 自動運転

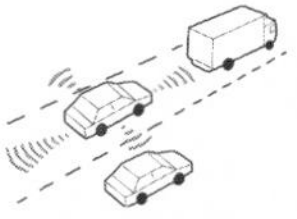

乗り物の操作を機械が自律的に行うシステム。
事故の防止や渋滞の改善、操者の負担の軽減に繋がる。

## スキャナー

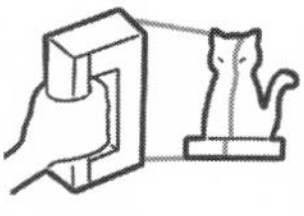

画像や文書、オブジェクトなどをデジタル情報化するための機器。
データ化することで通信や記録が容易になり、効率化に繋がる。

## スピーカー

電気信号を物理振動に変化させ、音声にする装置。
音を大きくしたり、一部だけに音を伝えたりできる。

果さえ良ければそれでよいという運用がなされており、ＡＩが解答を出すまでどのような処理が行われているかがわからないのが問題です。なぜそのような結論を出したのかを個別に説明できないことが多くあり、その点を改善していこうとする研究も進められています。

また、ＡＩを研究開発するために人間の知的活動のメカニズムを想定し、モデルを作り、コンピュータでシミュレーションをしてみると、シミュレーションができない、未知の部分があることが見えてきます。そこから新しい実験、新しいモデル創出の重要なヒントを得られることがあります。またそこに残された難しい問題は、人間の本当に人間らしい、非機械的側面の発掘となり、人間についてのより深い洞察につながるということです。ＡＩの研究には二つの側面「かしこい機械」と「人間のかしこさ」の探究があるのです。

この東ロボくんの研究は、人間のかしこさならぬ、人間の学び方の問題、キーワードだけを拾って回答してしまおうとする、「点を取る」「入試に合格する」ことにチューニングしてしまった学習の問題を明らかにしたのです。読者のみなさんも、自分の勉強法について振り返ってみてください。

## 特選「25のデジタル技術」

前の頁で紹介する「25のデジタル技術」は、私の研究室の市岡晃さんが二〇二〇年度の卒業研究として、多くの人にデジタル技術について知ってもらおうと作ったＴｅｃｈカード（図2・3）です。実際にはこのカードの裏面ではその技術が利用されている例をそれぞれ三つずつ紹介しています。これらのカードを見ていくと、デジタル技術を使って近未来の生活やまち、仕事場を想像してみることができるでしょう。

# 3章
# 人間とAI

ＡＩはどのように私たちの生活に入ってくるのでしょうか。ＡＩを活用しつつ、よりよい社会をつくるために、私たちの社会がどう変化してきているのか、変化するのかをこの章では見ていきます。

## 変化する日本、変化する社会

日本は急速に少子高齢社会になってきています。六五歳以上人口を一五〜六四歳人口で支える場合の高齢世代の人口比率は、一九五〇年には、一二・一人でした。それが徐々に下がりはじめ、二〇一〇年には三・〇人を割り、さらに進んで二〇二〇年以降は二・〇人を割ることが予測されています。一人で一人を支える時代がすぐそこまで来ています(図3・1)。

一方、平均寿命は延び続けています。一九五〇年には、女性六一・五歳、男性五八・〇歳だったのが、二〇二〇年にはそれぞれ、八七・六四歳、八一・三四歳となり、その後も延び続けていくとされています(図3・2)。最近では「人生一〇〇年」という言葉も広く使われるようになっています。

これら二つの状況が影響するのは、医療や福祉の現場だけにとどまりません。それ以外の

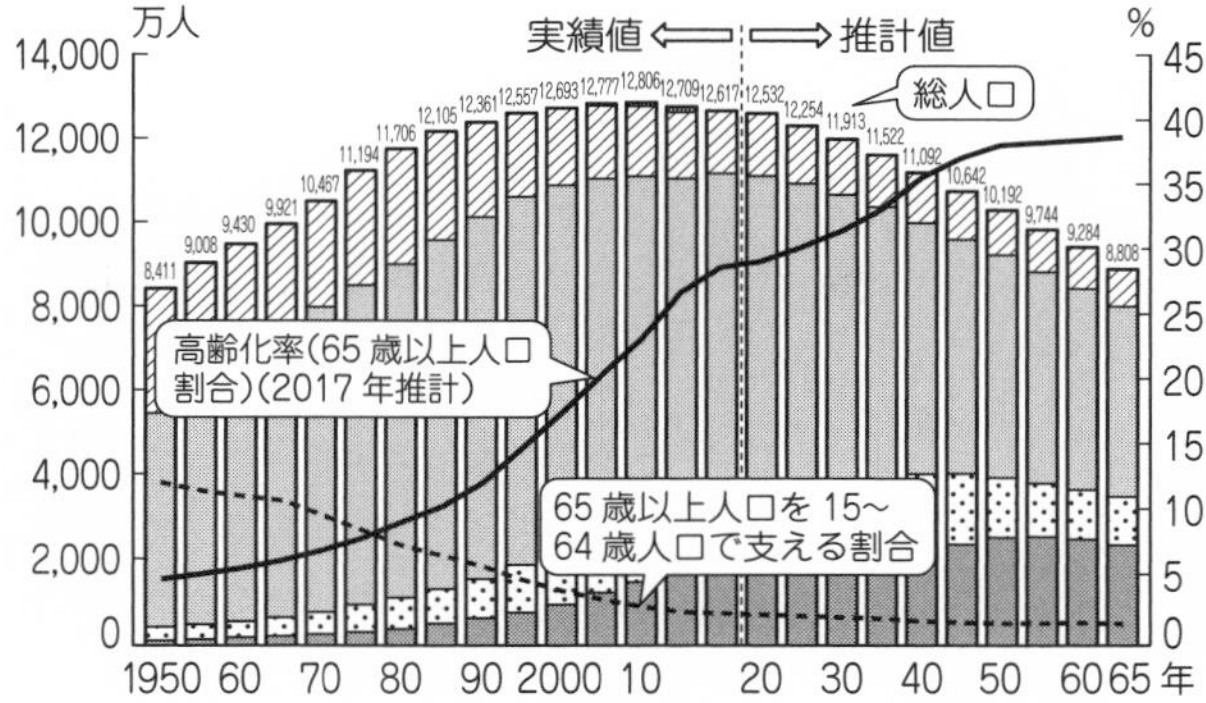


図 3･1　高齢化の推移と将来推計(内閣府『高齢社会白書』令和 3 年版をもとに作成)

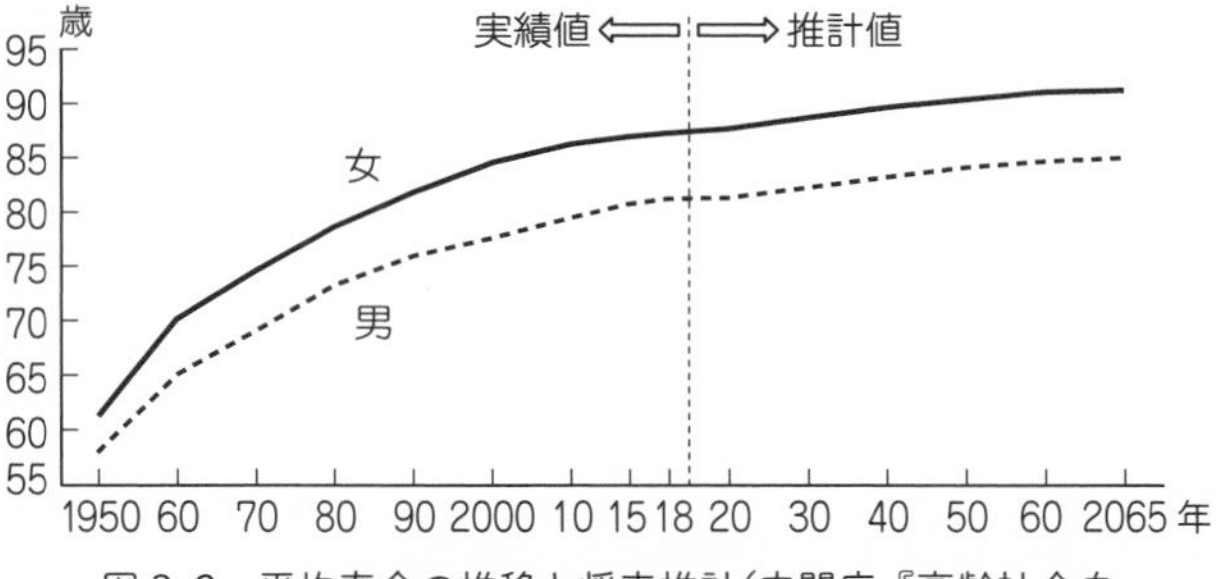


図 3･2　平均寿命の推移と将来推計(内閣府『高齢社会白書』令和 3 年版をもとに作成)

ところでも様々な影響を及ぼし、構造的な問題を生み出しています。例えば、首都圏と地方の人口の偏りがあげられます。また仕事が少ない地方から仕事のある都会へ人口が流出し、世代の偏りも生んでいます。そうしたことが結果的に、少子高齢化だけでなく、首都圏と地方や個人間の経済格差、教育格差を広げています。

そのような課題解決の方策の一つとして、AIの利用が考えられます。同時に男女共同参画や、大学や研究機関と産業界の連携、あるいは文系理系の枠を超えた共創の必要性が叫ばれています。コンピュータの発達に伴い、グローバル化、ネットワーク化、デジタル化が進んだことで、それを利用して産業構造、雇用の仕組み、教育制度の構造転換が迫られているのです。同時にAIは、あらゆる格差の解消の鍵になるととらえられています。けれども、AIの利用だけをやみくもに進めればいいというわけではありません。

世界に目を向ければ、二〇世紀の科学技術の急速な発達により、その負の側面が問題となっています。環境問題としては、公害やごみ問題、地球温暖化などが起こっています。新型コロナウィルス感染症に代表されるような、新たな病気の発生や、人口の増加により、水、食料、エネルギーの不足も問題となっています。

これら複雑に絡み合った不定形の課題が多く出現しています。VUCA(Volatility, Uncertainty, Complexity, Ambiguity)の時代といわれるゆえんです。私たちは、不安定で、不確実で、複雑で、あいまいさが急速に進む、予測困難な状況に直面しているのです。そのような状況の中、二〇一五年、ニューヨークの国連本部で「我々の世界を変革する：持続可能な開発のための2030アジェンダ」が採択されました。先にあげた課題に対して一七の目標(SDGs：Sustainable Development Goals)を立て、解決していこうとするものです。

1 貧困をなくそう
2 飢餓をゼロに
3 すべての人に健康と福祉を
4 質の高い教育をみんなに
5 ジェンダー平等を実現しよう
6 安全な水とトイレを世界中に
7 エネルギーをみんなに、そしてクリーンに
8 働きがいも経済成長も
9 産業と技術革新の基盤をつくろう

10 人や国の不平等をなくそう
11 住み続けられるまちづくりを
12 つくる責任、つかう責任
13 気候変動に具体的な対策を
14 海の豊かさを守ろう
15 陸の豊かさも守ろう
16 平和と公正をすべての人に
17 パートナーシップで目標を達成しよう

（国際連合広報センターHPより）

こうした状況をふまえた上で、これらの問題をどう解決していくかが重要になってきているのです。ＡＩの活用の仕方についても工夫が求められています。グローバルな視点、そしてローカルな視点の両方を持つことを求められる中、日本でも教育界、産業界でＳＤＧｓの取り組みが始まっています。

## AIで変わる私たちの仕事

科学技術、特にデジタル技術が急速に進み、大きな変革の波が押し寄せる中、私たちの暮らし、そして労働現場ではどのような変化が起こってくるのでしょうか。

最初に労働現場から見ていきます。二〇一三年に発表された論文「雇用の未来――コンピュータ化によって仕事は失われるのか」は、日本において、あと一〇年で「消える職業」「なくなる仕事」として大きな話題となりました。この論文はオックスフォード大学の研究員マイケル・A・オズボーンらによるもので、米国における七〇二の職種についてコンピュータに取って代わられる確率を仔細《しさい》に試算したところ、四七%の職業が一〇〜二〇年後には機械に取って代わられると結論づけたのです。マスコミでも大きく取り上げられましたので、見た人も多いと思います。

その結果を受け二〇一五年、日本のシンクタンクのひとつである野村総研は、先の研究員らとの共同研究で、日本における六〇一の職業を調査したところ、今後数十年のうちに四九%がコンピュータ化されるとしました。これらの代替は主に、デジタル化され日々蓄積されるテキストデータや画像データ、様々な機器やセンサからのデータを収集して、分析するという、ビッグデータの利用可能性が拡大していることによるものです。そしてさらには、

AI、特に機械学習の進歩によって、高度な知識やスキルを有する専門家の判断への助言や意思決定、作業を代替できるようになっていることもあります。

例えば医療分野では、遺伝子解析、総合診療支援、画像診断、医薬品開発などにおいて、これらの技術の利用が急速に進んでいます。ロボットの活用においても、既に実用化され、市販されている手術支援ロボット「da Vinci《ダヴィンチ》」は、一ミリ単位の精緻で複雑な動きが可能です。従来の手術に比べ、短期間の練習で困難な手術をこなすことが可能になってきています。さらには、AIとロボット、さらにそこに仮想現実(Virtual Reality)技術を組み合わせることで、医療施設のない地域でインターネットを通じて画面越しに診察を受けたり、高度な技術を持つ医師がいない地域でも、遠隔で手術が可能になる日も近いとされています。

AIやロボット等が、その発達によって、人間に取って代わる可能性(代替の可能性)はあります。しかしながら、二〇二〇年に起こった新型コロナウィルス感染症によるパンデミックでは、エッセンシャルワーカーの重要性が明らかになりました。エッセンシャルは英語で「必要不可欠な」、ワーカーは「労働者」。つまり、必要不可欠なサービスを提供してくれる人のことです。コロナ禍の際は、まずは医療に関わる人。そして生活に必要な食料品や日用品を扱うスーパーやコンビニ、ドラッグストアの人。それらを作る人、届ける人、ゴミを処理する人。仕事や病院などに行くために利用する電車やバスの運行に関わる人などです。幼稚園から大学まで、教育機関もエッセンシャルな存在です。学習は授業さえ受けられればよいと思いがちですが、オンライン授業を受けることが続くことでストレスを感じるなど、生徒や学生の心への影響も表れました。

このエッセンシャルワーカーと呼ばれる人たちが、ロボットに置き替わったとしたら、そのサービスを受ける人たちはどのように感じるでしょうか。代替可能性が低い職種として、医療系を例にとってみると、医療ソーシャルワーカー、小児科医、精神科医、理学療法士などが挙がっています。医療ソーシャルワーカーとは、主に病院において患者が、地域や家庭で自立した生活を送ることができるように支援する専門職の人です。これらの職種に共通するのは、患者とのコミュニケーション力が要求されることです。これは医療に関わるものだけではありません。他の職種でも、代替可能性が低いのは、人間を相手にする仕事です。それはなぜでしょうか。ほかにどんな仕事が考えられるでしょうか。

また医療にAIやロボットを活用する際は、膨大な医療データを活用することになります。様々な検査機器や手法が開発され、データが集まってくるのは良いことですが、それを誰がどのように活用していくかを慎重に考えなければなりません。個人のデータは、既往歴だけでなく、家族を含めた遺伝的なデータなどがあります。その扱い方が問題です。今後特定の病気が発症する予測もできる遺伝子データは、究極の個人情報といってよいでしょう。

先端科学技術の開発が急速に進む一方で、それらが社会の中に実現した際に起こってくる問題があります。臓器移植や生殖医療など、社会での議論が十分になされていないものや、法律が整備されていないことがこれまでもありました。人間の身体、生や死についての考え方は、文化や宗教、民族によって異なるので、他の国を真似すればよいというものではありません。AIについても、今から想定して議論を進めていくことが望まれます。

## AIで変わる私たちの生活

ここまで労働現場がどう変わるかを見てきました。次に生活がどう変わるかについて、私の大好きな料理の話で考えていきます。

料理は、食べる時の気温や湿度、食べる人が疲れているかどうかなどで、微妙に味を変えて作ります。そんな相手を思う気持ちが、調理の熟達化につながっていくのではないでしょうか。そこに必要なのは、食べる人のことを思い、試行錯誤しながらいろいろ作ってみること。そして結果を振り返り、失敗や成功からコツを見出し、次に活かすこと。

今日の料理は何を作ろうかと思ったら(作れるとしたら)、何から考えますか。自分が食べたい料理、例えばハンバーグやカレーというメニューから考えることもあるでしょう。あるいは、冷蔵庫にあるものから考えることもありますね。

1章で紹介したAIを使ったレシピ作成支援システムでは、食材を複数入力し、イタリアンやフレンチなどの調理方法、誕生日や平日などのスタイルを選ぶと、ユーザの好みのレシピを複数提案してくれます。その中にはこれまで人間が思いつかなかったものも多くあります。AIには、与えられた知識ベース(知識の集合)の中にある複数の知識を使って、新しい知識を動的に生成する機能があるのです。近年は、人間の代わりに調理するロボットのレストランも出てきました。使った鍋まで自動で洗ってくれます。AIのレシピと調理ロボットを組み合わせることで、おいしい料理が毎日食べられるでしょうか。

先日、郊外の小さな港町にすごいスーパーがあると聞き、行ってみました。野菜、魚、肉などの生鮮食料品だけでなく、お菓子や日用品まで、小さなお店にギュッと詰まっています。お総菜《そうざい》は手作りのお袋の味。巻きずしやおにぎりは、ちょっと大きめで、懐かしい味です。この店舗の他にも「道の駅」に商品を置き、仕出しも行う。質の高い商品をなぜこの規模で提供できるのかしらと、思いを巡らせました。小さな町だからこそ、誰がどんなものを、どのくらい欲しているかがわかるからかもしれません。

均一の品質で大量生産し、価格を抑えた商品や、マニュアルに従った均質のサービスを提供するのも良いけれど、一方で、そこにしかない、「味のある」ものも続いていって欲しいものです。グローバル化が進む一方地域では、互いに顔が見え、提供する側と受ける側の双方に恩恵がある暮らしがあります。制度化されたサービスより、お金では買えない価値を持ち続ける。地域が持続可能であるためには、提供する人も、享受する人も、その価値を共有することが不可欠です。私が懐かしい味と感じたお総菜は、ジュニア世代のみなさんにとって二〇年後は、コンビニの味になるのでしょうか。

私の両親の世代は子どもの頃、多くの家庭がそうだったように大家族で食事をしていたといいます。私が子どもの時分には、核家族化が進み、親子だけで食事するようになりました。そして年末年始やお盆のときに祖父母宅に大勢集まってわいわい食事をしたものです。日常の食事が変化してきています。夕食を近くの居酒屋やカフェで済ませる独り暮らしの高齢者が増えてきたといいます。親が遅くまで働いていたり、塾や習い事で忙しい子どもたちは、一人で食事を済ませることもあるようです。家族と一緒に食べていても、各人がスマホを見ていては、気持ちはそこにありません。

「人を幸せにしたい」という思いから、理工系の大学に進学した後、紆余曲折《うよきょくせつ》を経て料理人になった人がいます。函館にあるスペイン料理店「バスク」のオーナーシェフ深谷宏治さんです。美食のまちとして有名な、スペイン・バスク地方のサンセバスチャンで、一九七〇年代に料理の修業をしました。サンセバスチャンは三つ星シェフが何人もいるまちとして世界的に有名です。深谷さんによれば、バスク地方では昔から男の子が三人生まれたら、一人は医師、もう一人は銀行員、そして三人目は料理人にするといわれるほど、料理人の地位は高いといいます。人を幸せにする力がある料理ですが、ロボットやAIが人間の仕事を代替していく技術が進む社会の中で、今後どうなっていくのでしょう。

食事は、空腹を満たす、栄養を摂《と》るということだけが目的ではありません。では他にどんな目的があるでしょう？　誰とどこで何を食べるのかも大事です。食事をすることの意味を考えることも重要です。急速に社会が変化する中で、私たちにとって良い食事とは何でしょうか。それは一緒に食べる人がいて、何をどう作ろうか悩み考えることかもしれません。でも悩んだ時には、AIに助けてもらえると良いかも。たまには違った料理を食べてみたい。新しい料理を作ってみたい。そんな時にAIレシピやロボットは頼りになりそうです。人間かAIかの二者択一でなく、双方が共存していく選択肢もあるでしょう。

まずはその前に、自分で素材を選び、調理し、おいしい料理を作ってみんなで楽しんでみるのはいかがでしょうか。

## 人間にしかできないこと

私たちの労働や生活が、どんなふうに変わるかを見てきました。代替されてしまう職業があることもわかりました。ショッキングな現実ではありますが、その一方で、人間にしかできないこともある、それも見えてきました。

また共存することで、お互いを活かし合える道があることもわかりました。そう、AIやロボットと共生する社会はすぐそこまで来ています。これから社会に出ていくみなさんが、そうした現実を踏まえて学校でどんなことを学んでいく必要があるかを、ここからは考えたいと思います。人によってそれは、将来どんな仕事や技術開発に携わっていくかということに通じるものでもあるでしょう。また別の人にとっては、人間にしかできない仕事について、工夫や強化を考えることに通じていくでしょう。

後者において私が注目するのは、近未来においてもAIの実現が遠いと考えられる、人間的な側面である「共感」です。共感は英語に訳すと〝sympathy〟あるいは、〝empathy〟と二つあることに気づきます。前者は日本語では「同情」と言い換えられます。後者には他者の立場に身を置き、積極的に相手を理解しようとする、といった意味が含まれます。つまり「共感」とは、他者の感情だけでなく、意図を理解し、共有することなのです。

前章で説明したように、深層学習というAIの技術は、写真や音声のような複雑なパターンを、意味を持つ記号や数値として「まとめる技術」です。人間の意識や意図、ましてや他者に対する気遣いのようなものを組み込んでいるわけではありません。

「共感」はみなさんが生活してくる中で、特に意識せず身についてきているものかもしれません。ましてや学校の教科の中で特別に教わることもなかったと思います。強いて言えば、共感に関わる学びの機会としては、演劇や多文化共生学習などがあげられるでしょう。

前者では、他者を演じることで、他者の気持ち、立場になってみて考える機会となります。後者では、異なる文化を持つ人たちの習慣や考え方を知ることで、その人たちが直面している問題を一緒に考えて解決したりすることや、そこから自分たちの問題も解決する糸口になる可能性もあります。

では共感力を高めるために、普段からできることはなんでしょうか。それはちょっとしたことに気づくこと、まわりを見渡してみることだと考えます。こんなことから気づく共感も

図3・3　足形付土版(函館市教育委員会所蔵)

あるという例を紹介しましょう。

私の住む函館市には、市内の縄文時代の遺跡群から出土品を集めて展示している縄文文化交流センターがあります。これまで一〇回以上訪れています。私のここの一番のお気に入りは足形付土《あしがたつきど》版《ばん》(図3・3)。文様を付けた粘土板に子どもの足を押し付けてその形を写し、残したものです。北海道・東北地方に偏って出土しています。幼くして亡くなった子どもの形見として身近につるす、あるいは副葬品だったなどと考えられています。一万三〇〇〇年前から約一万年間続いたといわれる縄文時代。これを見るたびに、数千年もの時を超えて変わらない、子どもへの愛情を感じます。

現代では一般に、記録として残すための手段として、文書や写真があります。手軽に残せる一方で、それぞれは数多く保有するデジタルデータやファイルの一つとして重要性の高い低いがなく、平板なものになってしまいます。この状況をフラット・インポータンス(重要性の平板化)現象と言います。あらゆるものが等しく「重要である」ということ、すなわちそれを言い換えると、あらゆるものが等しく「重要でない」ということになってしまうのです。それに対しこの粘土板は、「真」を「写」す「写真」として、その背後にある思いも含めて伝える力があると感じます。これを見ると人間には、縄文時代から「共感」する力はあったと思えてなりません。

縄文時代は、約一万年の間に大規模な気候変動も経験しています。自然環境に適応しつつ、狩猟しながら定住した時代。土器や土偶の美しい造形が文化として花開いたことから、安定した社会があったことをうかがい知ることができます。土器や土偶の製作には、森や海、命への思い、繊細な気遣い、技術があったことも近年の研究からわかってきています。

食料、環境、貧困、戦争など、様々な問題がある現代。持続可能な社会であるためのヒントが、縄文時代にはありそうです。

## 異なる世界を知ることからはじめよう

さきほどふれた多文化共生学習。異文化を知るてっとりばやい方法が、「旅」です。そう旅行です。自分の住んでいるまちから、あるいは日本から一歩踏み出してみることです。すると、今まで知らなかった風景や食べ物に出会うだけでなく、そこに住む人々の習慣や暮ららしも見えてきます。自分のところにはない良さや、取り入れられそうなことに気づくこともあります。自分の住んでいるところの良さ、ありがたさを改めて感じることもあるでしょう。私は生まれてから四〇年間、ずっと東京で暮らしていました。通勤や通学に片道一時間は当たり前。二時間以上かかっていた時期もあります。それもずっと満員電車でしたが、何の疑問も持っていませんでした。

今から二〇年ほど前に函館に引っ越してきて、こんなに豊かな暮らしがあったのかと驚きました。気候や食べ物だけでなく、時間の流れ、人との距離が違うのです。国内ですら、このような感情が湧くのです。外国だったらどうでしょうか。

同じ大学内で体験した「異なる環境」についてもお話ししたいと思います。

私のお隣の研究室の同僚は、二〇〇〇年の大学開学時にパートナーの盲導犬を連れて函館に赴任してきました。彼は、人は移動する時に五感をどのように利用しているのかについて研究している、全盲の認知心理学者です。彼の研究はスマートホームやスマートシティ実現のための基礎研究としても役立つことでしょう。

できあがったばかりの校舎の中を一緒に歩いてみたとき、点字ブロックの位置が微妙にずれている箇所をいくつも発見しました。階段が始まるところ、廊下が曲がるところ、教室の入り口など。点字ブロックの配置には決まりがあり、その位置が少しでもずれているととても危険です。点字ブロックはただあれば良いというものではないことを、このとき認識しました。

そんな彼の日常を少しのぞいてみましょう。彼に届いた電子メールは、文字を読み上げるアプリを使うと、動画の倍速再生のような音声で聞くことができます。プリンタは、点字として印字するものや、図を発泡インクで浮き上がらせるものがありました。これは二〇年も前の話で、今も進化し続けてもっと便利にかつ機能的になっています。

障碍《しょうがい》のあるなしだけでなく、年齢や言語、文化の違いに関わらず、なるべく多くの人が使えるように、ものやサービスをデザインすることをユニバーサルデザイン(UD)といいます。私たちが日常使う製品やシステムを開発する際、特定のニーズを持つ人たちに焦点を当て、研究開発していきます。彼の日常は、そうしたものたちによって支えられています。でも、そのような製品をデザインすることの効用は、彼を支えるものを作るのみにとどまりません。

例えば車いすの人のために段差がない歩道や駅を作ると、ベビーカー利用者や荷物の搬出入にも便利になります。ある支援が必要な人を想定してデザインすると、想定していなかった人たちにとっても良いものになる可能性があるのです。

育児や介護などのために、勤務時間を短縮する、定時の帰宅を奨励するなどの制度は女性の声からできたものですが、みんなが使えるよう制度化してみると、長時間労働や残業を当たり前と思ってきた男性にとっても、生活の質を良くすることにつながります。

不便を感じたり、疑問に思ったりしたら声に出してみること。まわりには同じように感じている人がいるかもしれません。一方で、少数の声に耳を傾けることで、新たに見えてくることがあります。UDの考え方を製品やサービスだけでなく、制度や社会のあり方まで広げて適用していけば、まだまだ変えていくべきところがたくさん見えてきます。そうしたことをAIやロボットで改善していくこともできますし、人の意識を変え、社会を変え、誰もが暮らしやすい社会を作ることができるのです。

現在、スマートフォンや家電が音声に反応してはたらき、状況によってはハンドルを離して走行できる車も登場しました。たとえ生活が情報技術に大きく依存しているとしても、よりよい社会を作るには、異なる視点から見ること、誰かに寄り添って考えることが欠かせません。そこにこそ、新しいものや仕組みを生み出す機会がありそうです。

## コロナ禍で見えてきた技術と人間の新たな関係

東京から函館に移住して二〇年。気候、食、文化の豊かな函館の大ファン、といろいろなところでお話しししています。二〇二〇年には、その豊かさをさらに強く感じるようになりました。ゆったりとした時間の流れはまた、人々とのつながりを可能にします。

新型コロナウィルス感染症の拡大で、二〇二〇年にできなかったことはたくさんありました。一年前から準備していた、海外の人たちとの研究会や、国内外の学会への参加も断念しました。会食、外食の回数も格段に減りました。その一方で、予定になかった新しいこと、できるようになったこともあります。大学の授業がすべてオンラインになったことで、必要に迫られ、新しいツールを使えるようになりました。授業の内容を見直し、新しい方法で実施することができました。

人と会えないという急激な環境の変化は、私たちの生活や仕事、そして心に大きな圧力をかけ、新しい環境への適応を促しました。国内外でもリモートワークやオンライン会議、講演会が始まりました。

一三年間続けてきている市民活動の「はこだて国際科学祭」は、これまで市内各所で実施してきましたが、二〇二〇年はオンライン開催となりました。そこには予想を超えた多くの困難がありました。いままでオンライン会議システムを使ったことのない人や、ネットで配信される動画を見ることのなかった高齢の方々に届ける方法を考えることから始まりました。困難を乗り越えることを可能にしたのは、新たな出会いと学びたいという人々の思いでした。

やがて高校などでオンライン会議システムを利用し始めたこともあり、高校生や先生方もネットでの参加に慣れてきて、グループ活動など様々に工夫した手法が出てくるようになりました。きっと日本中、いや世界中で否応なく、ネット活用について学ぶ必要ができたと同時に、新たな可能性を見出したに違いありません。

一方で「デジタルディバイド」の問題もあります。インターネットなどの情報通信技術を利用できる人とできない人との間の格差のことです。情報弱者と呼ばれる人たちは、経済的にも困窮《こんきゅう》している場合が多いのです。タブレットを配布されても、ネット環境が家にないため、使用することができないといった小中学生の例もありました。またネット環境が脆弱《ぜいじゃく》な状態でオンライン授業を受けた学生たちの中には、途中で講義の映像や音声が途切れたり、システムの不具合から講義に参加できなかったりした人も多く存在しました。

ネットや機材の問題だけではありません。オンライン授業は、ネットにつながる環境なら、どこからでも授業を受けられ、習熟度に合わせて教材を繰り返し見ることもでき、しかも通学の時間もかからないのでいいことずくめというわけではなく、私たちの心に影響を与えることもわかってきたのです。普段の学校での生活を考えてみてください。一人で学んでいるようですが、それだけではありません。勉強が長続きする一番の秘訣《ひけつ》は、一緒にやる仲間がいること。まわりの人の気配を感じ、ちょっと隣をのぞいてみたり、話しかけたりすることもできる。そんな環境があったのです。

現代ではネット環境は、電気や水道と同様な社会インフラ(私たちの生活に欠かせない基盤となる設備やサービス)です。健康で文化的な生活を送る権利は、すべての人にあるべきものです。子どもたちには、オンラインでも等しく教育を受ける権利があります。この権利を保障するのは大人の責務です。地域によってネット環境に差がないようにすること、パソコンやタブレットを自由に使える環境にすること、困ったときには助けてくれる人がいることも重要でしょう。場合によってはそれが学校の先生でなくても、信頼のおける地域の人でも、ネット越しに聞くことができる環境でも良いでしょう。

二〇二〇年から二一年は、人と会うことが制限された状況が続く中、そのつながりの意味が際立って見えてきた年でした。何が自分の生活や人生にとって重要なのか、自分が他の人のためにできることは何か、デジタル技術を使って何か新しい活動やつながりを持てないかなど、いつもと異なる状況になったときに、新しいアイデアが生まれています。

プロのクラシックの演奏家たちは、演奏会がすべて中止になり、アンサンブル(合奏)の練習もできないという制限された状況で、音楽、職業、生活について深く考えることになりました。その結果生まれたのがリモートでのアンサンブルでした。この話はテレビのドキュメンタリーとして放映され、書籍『孤独のアンサンブル――コロナ禍に「音楽の力」を信じる』(村松秀、中央公論新社)にもなるほど話題になりました。

買い物や外食、人と交流する機会が減り、生活のリズムを保つことが難しくなった中、芸術のような文化的活動は、心を安寧に保ち、豊かにしてくれるエッセンシャルなものといえるでしょう。

最近、日本だけでなく世界にある美術館や博物館が、オンラインで展示物を公開するようになってきています。なかには、バーチャルリアリティー技術を使って、まるでその会場にいるような感覚で鑑賞できるものがあります。作品を拡大したり、背後や底面から見たりできるという意味では、リアルではできない体験です。今後は作品だけでなく、作者の存在やその生きた時代、鑑賞場所に居合わせた人の気配や息づかいが感じられるようなＡＩ技術が登場してくるかもしれません。

## 病気になって見えること

共感力を高めるために普段からできることとして、ちょっとしたことに気づくこと、まわりを見渡してみることが大切だとお話ししてきました。それは旅に出てみることだったり、感染症によるパンデミックのように突然環境が変わることだったり。そのようなときに立ち止まって考えることができます。弱い立場の人について考えるということでは、自分が病気や怪我をした時にもその機会は訪れます。

少し前に乳がんに関するオンラインイベントに出席した時のことです。他のがんと比べ、乳がんには特有の問題があることを知りました。女性の体の特徴的な部位であるため、人によっては精神的な影響が大きいことです。また他の病気でもいえますが、治療が長く続くことで仕事を干されたり、解雇に追い込まれたりする場合があるそうです。特に後者のようなことが一人親家庭に起こったらどうでしょう。深刻な問題です。このときカナダからの参加者が、同国の充実した傷病手当制度等の話をしてくれました。

こういった制度が日本にも必要だと思ってそれを実現するためには、政策決定に反映させることのできる国会議員自身が、その意義を理解できるかどうかにかかっています。この理解は共感からはじまるといってもよいでしょう。弱い立場の人、困難を抱えている人に寄り添って考え、その背後にある社会の問題を明らかにし、解決しようと行動に移す力が必要です。なぜ女性政治家を増やさなければならないのか。その理由がストンと腑《ふ》に落ちる経験でした。

毎年、世界経済フォーラムは「ジェンダーギャップ指数」を公表しています。男女の不均衡を示すこの指数は、経済、政治、教育、健康の分野のデータをもとに算出され、国別順位で発表されます。二〇二一年の日本は一五六カ国中一二〇位、その前は一五三カ国中一二一位、さらにその前は一四九カ国中一一〇位。政治及び経済分野での女性の占める割合の低さや対策の遅れが順位を下げています。

二〇二〇年は、米国で女性の参政権が認められてからちょうど一〇〇年にあたり、その年に「有色人種の女性として初となる」(https://www.vogue.co.jp)副大統領が誕生しました。一方、日本では女性の参政権は一九四五年に認められました。一〇〇年後の二〇四五年、日本の女性の政治参加状況はどうなっているでしょうか。

実は前出の乳がんのイベント、テレビでドキュメンタリー番組を作っていたディレクターによるものでした。彼女自身が乳がんになり、自分を被写体として、そこに起こる仕事や家族との関係、同じ病気を持つ人たちへの聞き取りやそれを支援する人たちの活動を番組にしました。そこから社会的支援や法整備の必要性が見えてきます。このHTB北海道テレビが制作した番組『おっぱい2つとってみた〜46歳両側乳がん〜』(英語のタイトルは、Boobies behind, Journey ahead)は、すぐれたドキュメンタリー作品として、国内外の由緒ある賞を複数受賞することになりました。自分に起きたことを入り口に、その背後に存在する様々な問題を明らかにしていったことは、国内だけでなく、世界に共感を呼ぶものでした。

病気といえば、私自身、講義の最中に突然、声が出なくなる経験をしました。受講していた学生たちの協力もあり、ささやくようにしゃべることで、なんとか終えることができました。仕事柄、話すことが多い上にそれが大好きな私。声が出せないのはもどかしく、ストレスのたまることです。

声が出なくなって二週間経った頃、おもしろい現象に気づきました。こちらがささやくようにしゃべると、相手もささやくようにしゃべるようになるのです。一人や二人ではありません。私と話をする人の多くが、ささやくようになってくるのです。「え？　あなたは普通に話していいんだけど」と言うと、「あ、そっか！」と顔を見合わせ、笑ってしまうこともしばしば。その後、私の声の出ない原因は声帯ポリープだとわかりました。声帯ポリープは、歌手のように声帯をよく使う人にできやすく、喫煙も刺激となり、その原因になるそうです。

ちょうどそのころ沖縄の首里《しゅり》城の火災のニュースで、その焼け崩れていく様子を見ている沖縄の人たちの姿に、胸がつぶれそうになりました。首里城は行ったことがなかったにもかかわらず、です。首里城の映像から、同じ年の四月のパリのノートルダム大聖堂の火災が思い起こされました。そのときのニュース映像にもぼうぜんと立ちすくむ、パリ市民の姿がありました。首里城も大聖堂も、人間や動物のように命あるものとは違い、人間が作ってきたものです。それでもそこに、悲しみや喪失感が生まれる。そのような感情は、背後にある歴史や、様々な経験が重なることで出てくるのでしょう。その喪失感は、遠く離れたところにいる人にも、映像を通じて心に伝わってきます。

このように感じることは、頭で意味を理解するということよりも、人間の本能に近いのでしょう。ささやき声でしゃべると、ささやき声で返ってくるのも、同じなのかもしれません。私のささやき声に対して、少数ですが、音量が変わらない人もいました。火災のニュースへの感じ方も、人によって異なるようです。

日々、国内外の様々な課題を抱える人たちのニュースが流れてきます。国内外に起こっていることを積極的に知ろうとすること、そしてそこに想いを寄せ、自分に何ができるかを考え、行動する。元国連難民高等弁務官の緒方貞子さん(故人)は、課題のある現場に自ら赴き、確固たる信念を持って解決に向けて行動してきました。AIをどこに、どのように活用していくかは、病気や怪我をした時に、こんなことがAIを使ってできたらいいなと考えてみたり、自分の周りに課題を見つけてみたり、緒方さんのように課題のある現場に身を置くことで、活用の糸口が見えてくることでしょう。

## AIの仕組みを理解し、活用するために

先日、台湾のデジタル担当大臣オードリー・タンさんの講演をネットで聞きました。感染を防ぐためのマスクが不足する中、スマートフォンのアプリを使って、素早くみんなに行き渡るような仕組みを開発できたのはなぜか。行政でデジタル化が進んだわけについて話してくれました。

その答えの一つは「リバース・メンタリング」でした。リバースは、逆の、という意味です。メンタリングは、メンターと呼ばれる指導者が対話や助言によって気づきを与える指導法のことです。台湾では、得意分野を持つ三五歳以下の若い人が、大臣や行政の人たちにアドバイスする仕組みを、若者たちが国会議員に交渉して作ったそうです。他方、若者の中に、社会の課題をプログラミングで解決するようなボランティアグループも育ち始め、みんなが

協力したことで、すばやくマスクを手に入れるようなアプリができたとのことでした。もちろん、マスクの増産を一方で推し進めていきました。

　以来、マスクを求めて行列をしたり、探し回ったりすることなく、誰もが平等にマスクを手に入れることができるようになりました。デジタル技術は人のつながりも網（ネット）のように広げます。授ける人と受け取る人。贈る人といただく人。パンデミックの時だからこそ、より一層、気持ちも伝わります。まさにＡＩの仕組みを理解し、利用する力をつけた人を育てていくことで、こうした社会を作っていくことができるのです。

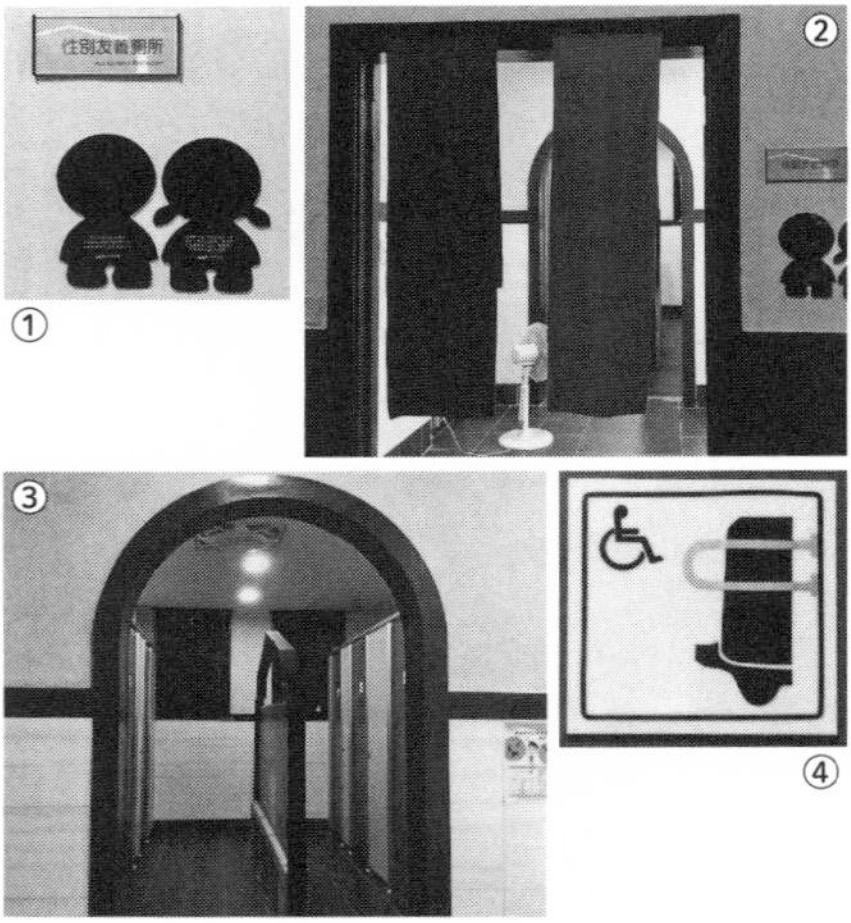

図３・４　台北市内の歴史的な建物・中山堂にあった「性別友善厠所」。性的少数者に配慮されている（筆者撮影）

　もう一つ書いておきましょう。台湾にあったのはＡＩの技術だけではありませんでした。台北市内の歴史的な建物で、今は文化交流施設でもある中山堂にあった「性別友善厠所」（図

3・4)。さて何でしょう。トイレであることは、ある年代以上の方はすぐわかります。私がまだ子どもだったころ、トイレを「厠《かわや》」と言うお年寄りがまだたくさんいました。

さて台湾のこのトイレの入り口は一カ所で、「性別友善厠所」のプレート(①)の下には、人の形をした二つのイラストがかかっています。暖簾《のれん》をくぐって(②)中に入ると個別の扉が左右に、全部で八つあり(③)、それぞれ洋式、和式、立式の三種類の絵が描かれていました(④はその一つです)。男女に分かれていないのです。女性用だけによく待ち行列ができることを考えてみれば、とても合理的です。性別友善とは日本でも理解が広まりつつあるLGBTQなど、性的少数者に配慮したトイレでした。

この台湾訪問の時、台北、台中市内の幼児園(幼稚園と保育園が一体化したもの)と小学校を案内していただきました。そこでは、いろいろな国や民族の言葉を受け入れようとする方針があることを知りました。台湾には、独自の文化や言葉を持つ「原住民」と呼ばれる人々が暮らしています。日本語の「先住民」のような感じでしょうか。政府によって一六民族が認定されています(注:台湾にある順益台湾博物館のHPには、次のような説明があります。「台湾の公用言語である台湾国語では、「先住民族」は〝既にいなくなってしまった民族〟という意味があります。一方、「原住民族」は〝元々居住していた民族〟を指し、台湾では差別的な意味を持たず公式的に使用されています」。現地の表記にのっとりここでは「原住民」を使っています)。

そうした状況をふまえて、二〇〇一年度より台湾の学校では、郷土言語教育が必修化されたそうです。言葉を理解し大切にすることは、背景にある歴史や文化、その中に暮らす人を理解し大切にすることにもつながります。

台湾の夜の文化として有名な夜市では、台湾だけでなく中国本土の様々な地域やアジア諸国の料理の屋台が並び、毎晩すごい活気です。多様な食べ物、文化を受け入れ、それが台湾らしさを作り出しているように見えます。「個性を尊重し」「多様性を許容する」なんて小難しく考えず、身近な所に、日々の生活に、良いと思うものを旺盛に取り込んでいってしまう、芯の強さを感じます。

AIの開発が進み、効率よく問題を解決してくれる社会が近づきつつあります。しかしAIは、他者の立場に身を置き、相手を理解して問題解決することは不得意です。ここまでのところでも何度も述べてきました。

異なる考え方や背景を持つ人たちを理解し、課題の解決に向け、時には妥協しつつ協同していくという、しなやかなありようが、予期していなかった状況に直面した際には、必要なのです。

人類の叡智《えいち》である科学的なものの見方、考え方をもとに、世界に溢れる困難な状況をみんなで乗り越えていきたいものです。その叡智を集めたAIは、人類が作り出した強力なツールです。これをよりよく使うには、その仕組みを理解しつつ、弱い立場の人たちに思いを寄せる「共感力」を持ち、活用していく力が必要なのです。そのためには普段から、なんか変だな、不思議だな、と思ったら立ち止まり、どうしてそうなっているのだろうと考え、じゃあ変えてみよう、と行動することからはじまります。

## AIの過去、現在、未来を学ぶ

AI研究の第一人者であるカリフォルニア大学バークレー校の教授、スチュアート・ラッセルの『Human Compatible: Artificial Intelligence and the Problem of Control』は、二〇一九年米国で出版され、私が米国西海岸を訪れたとき、書店では平積みになっていました。二〇二一年四月に『AI新生――人間互換の知能をつくる』(松井信彦訳、みすず書房)として日本でも刊行されました。

ラッセルたちの書いたAIの教科書『Artificial Intelligence: A Modern Approach』(邦題『エージェントアプローチ　人工知能』(古川康一監訳、共立出版)は一四カ国語に翻訳され、一二八カ国一四〇〇余の大学で使われてきました。今回の本は一般向けで、AIの過去、現在、未来について、示唆に富んだ内容です。なにより、長年AIの研究と教育に携わってきた専門家の話には説得力があります。私が一九八〇年代に学んだ頃のAIの話もいろいろ出てきて、とても懐かしく思いました。

「人間が作る知的な機械と人間は、幸せに共存できるか」について、彼は「Yes」と答えます。一方で、AIの誤用について警告しています。彼は国連では、核実験禁止条約のための新しい地球規模の地震監視システムを開発しています。また近年は特に、自律兵器(人間の意思が介在することなく標的を選択し攻撃する能力を持つ兵器)の脅威やAIと人類の関係の将来について危惧しています。そこで今回、世界的な議論の必要性を多くの人たちが認識し、共有するためにこの本を書いたといいます。

日本語で読めるAIの社会的影響に関する本をもう一冊紹介しましょう。オラフ・グロスとマーク・ニッツバーグの共著『新たなAI大国――その中心に「人」はいるのか?』(長澤あかね訳、講談社)です。原著は二〇一八年、日本語訳は二〇一九年一二月に出ました。

ニッツバーグは、ラッセルが所長を務めるカリフォルニア大学バークレー校の人間互換AIセンターのディレクターです。この本には世界のAI研究の動向と社会的影響について書かれています。日本の研究は二つほど出てくるのみで、米国や中国だけでなく、多くの国に後れをとっていることがわかります。その後れはＡＩの研究開発だけにとどまりません。そもそも日本社会全体でデジタル技術の活用、それを研究開発する人材の育成が後れているのです。

二〇二〇年の新型コロナウィルス感染症の拡大から起きた問題で日本では、感染者数や病床数のデータ収集や分析、マスクの販売、補助金申請手続き、そしてワクチン接種でも、デジタル技術の活用が近隣国に比べ、かなり遅れていることが明るみに出ました。教育現場での活用にも問題があることがやっと認識され始めたのです。

デジタル技術をきちんと理解し、活用してこなかったツケは、このような緊急事態に一気に現れます。デジタル技術を活用することで、誰もが簡単に、快適に使用でき、その結果、効率よく、生産性が上がるようになること。その実現に関わる人たちは、単にコンピュータやネットワークを使えればよいということではありません。単にプログラムが書ければよいというわけでもありません。

そこに必要なのは、世の中にある様々な問題の解決策を、コンピュータが実行できるように表現すること。その中には、データを整理することや、解決を自動化するためのアルゴリズムを考えたり、他の問題にこのプロセスを一般化して適用することなどを含みます。例えば、マイナンバーをどのようなデータと関連づけていくことが、国民にとっても、それを利用する行政や病院にとっても、利益があるのかを考えられるようなことです。もちろんその際、個人情報の扱いには十分な配慮や基準が必要です。

デジタル技術は電気や水道と同様、あるいは、それらをも支える重要な社会インフラです。これからどれだけ本気で、子どもだけでなく、大人まで含めた、みんなのデジタル技術に関するリテラシー(理解と活用)を向上させ、全体を底上げしていくのか。そして社会の現場に、教育の現場に、導入し活用していくのか。その全体の羅針盤の作成に誰が関わっていくのかを、注意深く見ていく必要があるでしょう。

私がメインフレームと呼ばれる汎用大型コンピュータを生まれて初めて見たのは一九七七年、高校一年生の時でした。当時コンピュータは、大企業や科学技術研究を行う大組織にしかありませんでした。そのとき、「コンピュータが世の中を変えるに違いない。だからその中身を知りたい。そしてそれに携わる仕事がしたい」と強く思い、その後大学でコンピュータサイエンスを学び、現在は情報系の大学で教えています。そこに至る過程では、人間と思考の関係について研究することも行ってきました。紙と鉛筆から、本、テレビ、コンピュータ、ネットワーク、そしてAIまで、人間の思考のあり方は使う道具とともに変化していきます。

高校生の時の直感。現実はその時の予想をはるかに超え、今では私たちの生活を、未来を大きく左右するものになってきています。ここで少し立ち止まり、私たちはどのような未来を望むのか、世代を超え、国や民族を超え、議論をしていく時が来ていると感じます。

## 未来を考える手がかり、共感を意識する手法

小説家は、単に物語を提供するのではなく、小説という表現手法を用いて、その背後にある読者に伝えたいこと、感じて欲しいこと、考えて欲しいことを提供しています。歴史を振り返ることや、望ましい未来のあり方を考察するもの、誤った方向にいきそうな社会に警鐘を鳴らす役割のものなどもあります。

一九四八年に書かれたジョージ・オーウェルの小説『一九八四年』は当時から話題になり、映画化もされました。四八年の数字を入れ替え八四年の未来を舞台にしたお話です。その物語の中で市民は政府によって管理され、政府の方針に疑問を持ったり、反対意見をもったりすることのできない社会になっています。さらには反体制的な本の出版を禁止し、都合の悪

いものを焼いてしまう焚書《ふんしょ》も行われていました。

これと同時期にもう一つ未来を描いた小説がありました。オルダス・ハクスリーの『すばらしい新世界』です。こちらで描かれているのは、食料も仕事、娯楽も与えられ、本がなくても気にしない、満ち足りた世界です。

米国のメディア理論家、文化評論家であるニール・ポストマンはこの二つの作品を比較し、恐ろしい近未来の世界は、後者の方だと指摘しました。なぜでしょうか。

すべてが満ち足りると、思考停止が進むということです。その先にあるのは、権力者を無批判に受け入れることで独裁者を生み出し、それが誤った方向へ進む時に、止めるべき人々がいない世界です。

テレビを見たりゲームをしたりするのは簡単で、教わらなくても、幼児でもできます。テレビや映画などの映像、ゲームは、娯楽と快楽を与え、勝手にどんどん進んでいき、疑問に思ったり、深く考えたり、反対意見を持ったりもあまりしないでしょう。一方、本や新聞、雑誌などを読むことは、精神の集中と努力が必要で、時間もかかります。読書を学ぶには相当な量の練習と実践が必要です。しかし本は自分で読むペースを変えることができ、振り返ったり、考えたりするためのメディアとして重要なものです。

歴史哲学者ユヴァル・ノア・ハラリの著書『21 Lessons――21世紀の人類のための21の思考』(柴田裕之訳、河出書房新社)でもこの二つの小説が取り上げられていました。最近彼は、感染症で効果を発揮している監視技術は、今後は、権力と市民の相互に対等な関係で利用されるよう、注意深く見ていくべきであることや、私たち一人ひとりが科学リテラシーを高めていく必要性について発言しています。

ここでもう一人紹介したいのはカズオ・イシグロです。長崎県出身の日系英国人小説家で、二〇一七年にノーベル文学賞を受賞しました。臓器提供するために生まれてきた人間のクローンが登場する『わたしを離さないで』(土屋政雄訳、早川書房)は映画にもなりました。『忘れられた巨人』(同)は、記憶を奪われた世界で生きる老夫婦が、遠い地で暮らす息子に会うために旅に出、ドラゴンを退治するファンタジー小説です。イシグロの小説には複数のジャンルがあり、伝えたい内容に合わせて様々な手法を取っているように見受けられます。

最新作の『クララとお日さま』(同)では、AIやロボットの登場が人々の暮らしや人生、価値観にどう変化をもたらすのか、どのような影響を与えるかを描いています。この物語は、コロナ禍の日常にも重なって見えますが、それ以前から書き始めていたということです。科学者や技術者は、研究して実際にモノを作ることで、「未来を創っていく」のに対し、小説家は未来を頭の中で想像し、シミュレートし、それを物語として読者に提供してくれます。思考実験とも言えるこの手法は、よりよい未来を作っていく際の注意点、落とし穴を「共感」とともに読者に見せてくれています。

これ以外にも、近未来を描いた小説、漫画、アニメ、映画などが数多く出ています。それを見ておもしろかった、怖いなぁ、と思うだけでなく、そこから自分たちの今いる世界やそこにある課題とつなげて、自分たちに何ができるかを考えてみるのも、あなたにとって意味のあるものになるでしょう。

# 4章

# 「共感」とAI

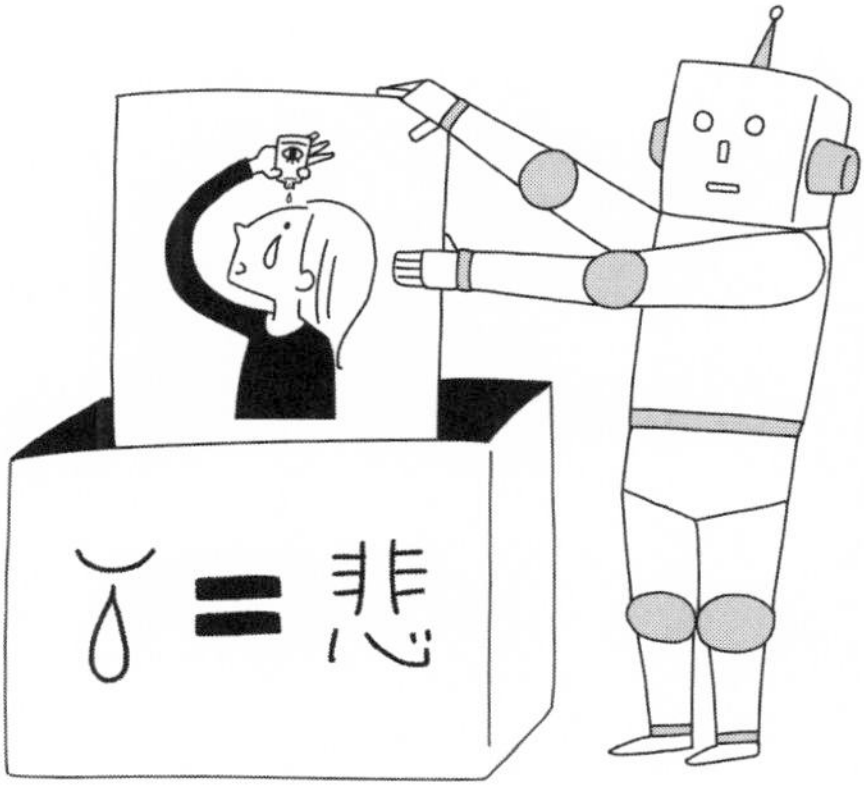

前章でＡＩやロボットと共生する社会では、「共感」が重要になってくると述べました。いずれ読者のみなさんの中から、ＡＩやロボットを作る人たちも出てくるでしょう。ＡＩやロボットが日常にいきわたり、一人ひとりが仕組みを理解し利用する力をつけていくことが、今後はますます求められるようになります。単に便利なものを作る、使い方がわかるというだけでなく、もっと社会全体の幸せにつながるような、そんな関係を構築していくことが求められていくはずです。その時に鍵になるのが、「共感」だといえます。本章では、その点を掘り下げていきたいと思います。

## 共感を求められる仕事とＡＩ

まずは共感の必要な、人と人のつながりを意識することで成り立っている職業に注目してみます。近年日本において、感情労働という概念が注目されています。これは一九八三年、米国の社会学者であるアリー・ホックシールドが、感情労働として、肉体労働、頭脳労働に次ぐ概念として、名づけたものです。経済格差の広がる日本においても、米国と同様の現象が多く見られるようになってきて、以下のように呼ばれています。

・肉体労働(Physical labor/Blue-collar workers)
・頭脳労働(Brain labor/White-collar workers)
・感情労働(Emotional labor/Pink-collar workers)

ホワイトカラー、ブルーカラーという言葉を聞いたことがあるでしょう。このカラーは、色(color)ではなく、襟《えり》(collar)の意味です。肉体労働に従事する人の作業服の襟などに青いものが多かったため、このように呼ばれるようになったと言われています。これに対しホワイトカラーは、ワイシャツを着て働く、主に事務系の仕事をする人を指します。ピンクカラーは、主にサービス業に従事する人を指します。なぜこれが感情労働なのかは後ほど。

その前にちょっと横道にそれますが、ワイシャツは和製英語です。white shirts(白いシャツ)が日本語ではワイシャツに聞こえたことで、それが定着することになりました。なので、その語源から考えると、「白いワイシャツ」というのは、ちょっと変ですね。ちなみに飲みものの「ラムネ」はレモネード(lemonade)のこと。ラムネと聞こえたそうです。

話をもとに戻しましょう。この襟の色で、職業を表すということでは最近、他の色の表現も出てきました。一番よく聞くのが、グレーカラーです。ブルーでもホワイトでもなく、定年を超えて働く人のことです。寿命が延びてきている社会ならではです。このほか、英語の

Wikipediaで Designation of workers by collar color（襟の色による労働者の呼称）の項目を調べてみると、赤、紫、オレンジ、緑などいろいろ出てきます。気になる人は調べてみてください。

感情労働とは、肉体労働、頭脳労働とは異なり、精神的な負荷の高い労働のことです。相手に対し、丁寧な対応を迫られる一方、相手によっては服従ともとれる対応をもとめられるケースもあり、場合によっては不当とも思えることもあります。例えば、次のような仕事があります。

旅客機の客室乗務員、看護師などの医療職、介護士などの介護職、官公庁や企業の広報、苦情処理係、マスメディアの読者や視聴者応答係、秘書、受付係、電話オペレーター、ホテルや銀行店舗の案内係、不動産営業職など。

いわゆるクレーマー、モンスター〇〇と言われる人たちへ対応しなければならない仕事も含まれています。これらの仕事は「ケア」を与える側の仕事でもあります。どの仕事にも共通なのは感情を抑制すること、緊張や忍耐などが必要だということです。精神的なストレスが多い割に、評価や賃金が低いものが多く、また非正規雇用の占める割合が高いことが社会問題となっています。しかしながら、今後ＡＩが社会に入ってくる中では、この領域こそ、人間にしかできない労働として残るのではないかと言われています。そうすると、共感が求められる職種の方が賃金が高くなる逆転現象が起こる可能性もあります。現在専門性が高い仕事は、人材不足のため賃金が高いけれど、それがＡＩやロボットが得意な分野と重なると、機械でできるために人は不要になります。他方、現在賃金は低いけれど人間にしかできない仕事で必要とされ続けるものは、その重要性が認められ、賃金が高くなっていくことが予想されます。需要と供給の問題です。

今後ＡＩが社会に浸透してくる中で、ますます重要になってくるのは、相手の思いに寄り添い同情するだけにとどまらず、共感によって意図を理解し、そこから問題を見出し、解決していく力です。ある時は仲間を見つけて問題を共有し、解決に向けて新しい考えや仕組み、モノを作り出すという、行動していく力です。それらの力とともに、ＡＩを活用していくこと。それらを両立させていくだけでなく、相乗効果を生み出すようにしていくためには、何が必要でしょうか。

## デジタル技術で共感をつなぐ

ファブラボ(FabLab)の活動を知っていますか。一九九八年にマサチューセッツ工科大学メディアラボのニール・ガーシェンフェルドが始めた社会貢献活動で、いまでは世界中に広がっています。みなさんも3Dプリンタやレーザーカッターという機械の名前を聞いたことがあるでしょう。こういったデジタル工作機械の価格が下がり、手軽に入手できるようになってきました。それとともに、これらの機材で出力可能なデータを世界規模で共有するネット上のサービスが次々と登場し、一般ユーザ自身が気軽にモノづくりに携わるパーソナルでソーシャルなファブリケーション(モノづくり)時代が到来したのです。

世界には水道や道路が十分整備されていない、電気の供給も不安定な地域がたくさん存在しています。そんな地域にファブラボができ始めています。レーザーカッターや3Dプリンタ、3Dスキャナといった機器が揃っていて、現地の人々がそれらを使いこなして生活に必要なものを自分たちで作っています。椅子や自転車も作ることができます。ものを買わずに自分たちで作っていく。たとえ自分たちで設計できなくても、ネット上で共有されているデータを使って作ることができるのです。

ファブラボの環境を届けることで、自転車を数十台寄付するというような一時的な支援ということではなく、その地域の人たちが欲しているものを自力で作れるようになっています。ここに必要なのは、デジタル工作機器を自由に使うための、デザイン、プログラミング、電子工作、無線通信、機械設計まで、アナログからデジタルまで多岐にわたる技術ですが、それらも今ならネット上にいろいろな知識として公開されています。

これらの国々や地域は最新の技術を使って、これまで欧米や日本がたどってきたのとは異なる、独自の近代化の道を歩んでいます。電話の普及の歴史を振り返ると、最初の電話は電話局と各家庭との間に電線を敷設することにより、通信基盤が整備されました。電線を用いた通信網の整備には多くの費用と時間、労力が必要でした。日本ではその過程を経て携帯電話に移行してきました。しかし、携帯電話の通信網から整備を始めるのであれば、膨大なコストのかかる通信インフラを整備するかわりに、合理的に安価な基地局を配置することで実現が可能なのです。ここで興味深いのは、ファブラボ設置の考え方です。

①一般市民に開かれていること(ある条件のもと、週に一回以上工作機械を開放する)
②ファブラボ憲章の理念に基づき運営されていること
③共通の推奨機材を備えていること(ノウハウや設計データを共有するため)
④国際規模のネットワークに参加すること

(Fablab Japan Network のHPより)

この根底にあるのは、モノづくりのノウハウや設計データを共有し、複製、改良していけるようにすることで、個人による自由なモノづくりの可能性を拡げること。そして「自分たちの使うものを、使う人自身が作る文化」を醸成することです。さらに国際的なネットワークに参加すること、その活動をオープンにして共有することで、モノづくりのノウハウやラボの運営などに関する課題を共有して連携し、個々のラボだけでは得られないような価値を生み出していくという、モノづくりの民主化です。日本でもこの活動は広がってきているので、みなさんの住んでいる地域にもあるかもしれません。ぜひ探してみてください。

もう一つ共感をつなぐ例として、オンライン署名サイトChange.org(チェンジ・ドット・オーグ)があります。二〇二二年の時点で、世界のユーザ数は三・三億人、日本では二〇〇万人を超えました。二〇二一年にこの組織は、コロナ禍における市民がオンラインで声をあげるアクションの変化について、世界二五カ国のデータをもとにしたランキングとその分析結果を発表しました。この組織のオフィスがある世界一九カ国の中でも日本は、前年の同時期に比べ、市民の行動に最も変化が見られた国という結果となりました。新しいキャンペーンの数やそれに賛同する人たちの割合が増えただけでなく、若者が主体となり行動を起こした事例も多く見られたそうです。

二〇二〇年のコロナ禍では、休校延長を求めるキャンペーンが二〇〇ほど立ち上がり、それらの大半が高校生によるものであったことや、大学を相手に学費軽減を求めるキャンペーンが一七〇以上立ち上がったことは驚きです。若者たちが主体となって声をあげはじめ、その窮状を社会に訴えかける手段として、こういったサイトは注目されています。

「ブラック校則をなくそうプロジェクト」もその一つです。髪の毛が生まれつき茶色にもかかわらず、教員から黒く染めるよう強要されたり、髪の色や天然パーマの生徒に「地毛証明書」を提出させる、下着の色を指定した上、それを学校でチェックする、授業や部活中などでの水飲み禁止や日焼け止め禁止など生徒の健康や命に関わるようなものも集まりました。その結果、多くの賛同が得られ、これらは社会問題となり、学校も校則を見直して改正するところが出てきました。

このほかにも、新しいアイデアを実現するための資金を、ネットを使って広く集めるクラウドファンディングなどの仕組みもあります。食べるものに困っている人たちに、過剰に生産され得た食料を届けるフードバンクの活動も世界で広がっています。これらの活動にAIを導入していくことで、効率よく効果的な配分の方法を提供していくこともできそうです。

ものが余っているところから不足しているところへと回したり、行政と市民をつなげたり、個人と企業をつなげたりと、これまで窮状を訴える手段を持たなかった人たちに、デジタル技術を活用した仕組みを作ることで共感がつながり、解決に向けて活動が世界規模で広がっていきます。ネットワーク上でやり取りが起これば、それがデジタルデータとして蓄積され、検索可能になります。大量に集まってくるデータを解析していくことで、そこからさらに新たな問題が見え、解決に向けて動き出すこともできるでしょう。校則が変わっていったように、新たな政策なども出てくることでしょう。

## 共感の生まれるところに発見がある

「共感する」ということは、家庭や学校で特に教わってくるわけではないとさきにも書きました。でもいつの頃からか、多くの人がそうした感情を持つようになりますし、誰かの状況に涙を流したり、怒ったりできるようになってきます。不思議ですね。人間が赤ちゃんから大人へと発達してくる中で、共感はいつ現れてくるのでしょうか。その糸口になるのが、米国の認知心理学者のマイケル・トマセロの研究です。トマセロは認知心理学の中でも、霊長類学、発達心理学を専門としています。

生後九カ月以降の赤ちゃんには、「共同注意」(joint attention)と呼ばれる行動が出現することがわかっています。共同注意とは、そばにいる誰かがあるものを見ると、それを見るようになるということです。え、なんでそれが不思議なの？　と思う読者もいるでしょう。でもこれ、すごいことなんです。それはなぜでしょうか。

赤ちゃんは最初の頃は、ミルクをくれる人など、世話をしてくれる人だけを見ています。ところが九カ月を過ぎる頃になると、その人が自分以外の何かを見ていると、「何を見ているのかなぁ」と不思議に思って、その「何か」に目を向けるようになるのです。まだまだ言葉も話せない時期ですが、赤ちゃんはその人の興味を、心を知ろうとしているということです(図4・1)。

図 4・1　共同注意の発達段階

共同注意に注目した人間の発達の研究は複数ありますが、中でもトマセロはこの活動を、他者を理解するというところに重きを置いた発達の段階としてとらえています。

生後三カ月頃に、他者と一対一で感情や行動を共有する段階があり、それが生後九カ月頃になると、他者は目的を持っているものとして理解し、目標や知覚を共有し、他者と目標物と自分という三者の関係を含んだ三項関係に変わってきます。そして、生後一四カ月頃からは、他者は意図を持っているものとして理解し、意図や注意を共有し、他者と協力的に関わろうとする段階に発達してくるとしています。

この過程で、他者が必要としていることに気づき、それがさらに、人のため、社会のために無私の心で行う行為が出てくるとしています。何らかの共通課題達成のために他者と協力するという活動をするようになってくるのです。これが興味深いのは、注意と意図の共有は、人間の進化の過程においても、個人の一生においても、言語の獲得、すなわち言葉を話すようになる前に起こってくることです。このことからトマセロは、意図共有が人間社会における文化の進化をもたらす推進力となったと主張しています。

他方で知っておきたいのは、こうした発達には、先天的なものも含め個人差があることです。一人ひとり異なるから違いが生じるのです。対人関係をいとも簡単に円滑に結べる人もいれば、そうでない人もいますし、コミュニケーションが得意な人もいればそうでない人もいます。できないこと、足りないことが悪いのではありません。大切なことは、各々の違いを互いに尊重し、認め合い、足りない部分を互いに理解して、補い合うことです。現在では、社会性（対人関係）やコミュニケーションを行えるよう支援するデジタルツールも開発されてきています。一つ例を紹介しましょう。

UDトークは、コミュニケーション支援のアプリです。人の話し言葉をリアルタイムでテキストに変換し、会話を文字で表示することにより可視化します。私が仲間と毎年実施しているはこだて国際科学祭のイベントで、UDトークを使って登壇者の話した言葉を、その場で字幕として背景に投影したり、参加者の手元のスマホ等の端末に配信しました。そのイベントには、聴覚に障害がある人が参加し、UDトークの機能を活用して質問をしていました。また、音声を聞いて理解をすることを苦手とされている人からは、字幕により内容が理解しやすくなったというコメントをいただきました。

このアプリを使うと、音声から変換されたテキストデータは過去にさかのぼって画面で見ることができるので、登壇者がいくつか質問された際に、何分か前の質問の内容を確認して答えるということもありました。また参加者も、講演内容を確認しながら質問していた場面もありました。これを自動翻訳機能と連動させれば、話すそばからいろいろな言語に翻訳することができます。難聴者など音を聞き取りにくい人がイベントに参加しやすくなることを意識して導入しましたが、他にもいろいろな活用の仕方があることを発見しました。このように、話し言葉を文字化する技術は難聴者のためだけでなく、コミュニケーションのあり方の可能性を広げることになるのです。

これは話し言葉のコミュニケーション支援の例でしたが、このほかにも画像認識技術を利用して人の表情を読み取り、喜怒哀楽の気分を単純なアイコンでわかりやすく示したり、その反対に、感情を表情に表すことが難しい人に対しては、アイコンで自分の感情を伝えるなどのコミュニケーションを支援するツールも開発されています。

人間の知的活動を支援するツールを開発するためには、人間の認知活動のメカニズムをモデル化する必要が出てきます。このモデルを作っていく過程に、ＡＩの新しい機能開発の重要なヒントを得られる可能性があります。社会性やコミュニケーションを支援するツールの開発は、ＡＩに「社会性」「共感」といった概念を組み込んでいく際に参考になっていくでしょう。

## ケアを共にする社会のＡＩへ

人と人のつながりを意識することで成り立っている職業の多くが感情労働と呼ばれ、それは人間の強みである共感が必要な、いわゆる「ケア」を与える側の仕事でした。感情労働の大変さを軽減するために、ＡＩを活用できる可能性もあります。その可能性を探るため、ケアの概念について考えてみようと思います。

そもそもケアとはどのような概念なのでしょうか。ケアをする人(care-giver)、ケアされる人(care-receiver)というと、子どもや高齢者の世話の風景を思い浮かべるのではないでしょうか。政治学者のジョアン・トロントとベレニス・フィッシャーは、もう少し広い意味で、ケアを以下のように定義しました。

「もっとも一般的な意味において、ケアは人類的な活動 a species activity であり、わたしたちがこの世界で、できるかぎりより善く生きるために、この世界を維持し、継続させ、そして修復するためになす、すべての活動を含んでいる。世界とは、わたしたちの身体、わたしたち自身、そして環境のことであり、生命を維持するための複雑な網の目へと、わたしたちが編みこもうとする、あらゆるものを含んでいる」。

(ジョアン・C・トロント著、岡野八代訳・著『ケアするのは誰か？』白澤社)

人間はそもそも社会的な生き物です。一人では生きていけませんし、お互いになんらかの形で依存して生きています。このケアの考え方を前提に世界を見ていくと、いろいろなもの、問題が見えてきます。よりよいケアの活動に向け、トロントらは、「①関心を向けること caring about」「②配慮すること caring for」「③ケアを提供すること care-giving」「④ケアを受け取ること care-receiving」の四つの切り口を示しました。

この四つが互いにうまく組み合わさることによって、よりよい社会になると考えました。逆にいずれか一つが欠けても、私たちが暮らす社会に問題が出てくるということです。ケアの対象は人だけでなく、動物、生態系といった環境も含みます。誰にケアが必要かだけでなく、ここで「誰がケアしていないのか」を考えてみるのも良いでしょう。

トロントらは、誰もがみんな生涯を通じてケアに関わっていく、利益を受けるだけ、提供するだけというところから、①から④の次に⑤として「ケアを共にする caring with」ことを提唱します。ケアを共にする社会においては、社会全体としては歩みは遅くなるかもしれませんが、誰も取りこぼすことなく、互いに支え合いつつ、ゆっくりと進んでいくことができるでしょう。網目状の織物であれば、どこかの糸が切れても、全体としてはつながっている、自分の糸が切れても誰かが補ってくれる、そんな強い社会にしていくために、新しいテクノロジーやAIの活用方法を考えていくこともできるはずです。

## ケアの倫理という視点

先のトロントらのケアの考え方が出てきた背景には、一九八二年に出版された『もうひとつの声――男女の道徳観のちがいと女性のアイデンティティ』(岩男寿美子監訳、川島書店)という本があります。この本は、道徳性発達の研究者であったキャロル・ギリガンによるもので、当時一大センセーションを巻き起こしました。ギリガンは一九九六年に米国のタイム・マガジンで、米国で最も影響力のある二五人に選ばれたほどです。

それまで道徳性の発達といえば、コールバーグ理論が世界的にも主流でした。米国の心理学者ローレンス・コールバーグは、ギリガンの同僚にあたります。ギリガンは彼との共同研究の中で、その結果の解釈に疑問を持ち、データを丁寧に見ていったところ、「もうひとつの声」が聞こえてきたのです。

道徳性の発達の観点・研究では、被験者にジレンマを抱える問題を出し、その解決方法やその理由、そこに至るまでの時間などをデータとして検討します。その結果から、コールバーグ理論では女子の道徳発達は、男子に比べ劣っているという結果を導き出していました。

要約するとそれはこんな問題でした。

末期がんに苦しむ妻を抱えるハインツは、薬剤師が開発した特効薬を買うお金がどうしても工面できない。彼は、妻を救うために薬を盗むべきかどうか。解決策と理由を述べよ。

みなさんはこの問いに対してどんな解決策を考えますか？　ギリガンは二つの典型的な回答で新しい見方を説明しました。男の子と女の子の回答を要約すると、次のようなものでした。

一一歳ジェイク（男子）の回答は、薬剤師の自己の権利と妻の生命の大切さを比較して、たとえ裁判で争った場合でも盗みに対して理解は得られるだろう。法律も完璧ではなく、盗みは道徳的正義として正当化できる。だから「盗むべきだ」、というものでした。

一方、一一歳エイミー（女子）の回答は、本当にその薬剤師を説得できないだろうか。友人たちからお金を集められないだろうか。薬を盗んだとしてもハインツが逮捕されれば妻の病気がかえって重くなるのではないだろうか。解決策として「コミュニケーションによるネットワークを、よりうまく活用するべきだ」、というものでした。

ここで注目すべきは、ジェイクは割合あっさりと回答したのに対し、エイミーはいろいろ悩みながら、なかなかはっきりとした決断ができないことでした。そして最終的にこの答えを出しました。

　このような例をいくつも見つけたギリガンは、コールバーグが正義原理の発達だけに注目していることで女子の道徳発達は男子に比べ劣っているとした点に問題があるとしました。コールバーグとギリガンは最初、ジェイクの道徳と法を峻別《しゅんべつ》する論理的思考法を評価していたのです。それに対し、エイミーのようにいろいろな人の立場や状況を考えて悩んで答えを出せなかったり、「盗むべきか、否か」の二者択一の問題に、そこから外れた答え方をしたその姿勢は評価しませんでした。ギリガンは注意深くそれらの「声に耳を傾ける」ことで、エイミーは、「盗むべきか否か」に対してではなく「盗むべきか」という「盗む」という行為そのものにこだわっていたことに気づきました。

　このことからギリガンは、女子の持っている世界観は男子のそれとは異なり、多くが人間の絆を大切にし、世界は人間相互のネットワークと責任によって成立しているということ、そこから問題の解答を引き出そうとしていることが、男子が示す正義の論理とは異なっているということを訴えました。その中で、女子は共感や同情をより重視する傾向にあることを見出し、コールバーグの単線的な道徳観形成の診断を批判し、その理論に異を唱えました。

　このギリガンの指摘を、単純に女子と男子の考え方が違う、傾向が異なるということだけにとどめるのは誤りです。ここで重要なのは、ギリガンの本のタイトルにもある「もうひとつの声」の存在に耳を傾けるということなのです。ギリガンは「女性の声」とは言っていないことがポイントです。この指摘を女性性や母性から来るものとして見誤らないよう注意が必要です。その後この指摘は、性別ではなく、支配と抑圧の権力構造の問題、さらには女性や抑圧された人々の置かれた状況を解決するための視点として、ますます重要になってきています。

ここからケアの倫理(ethics of care)という考え方、視点が生まれ、今では政治学や、ジャーナリズム論、公共政策論に導入されてきています。

さてここからが現在のAIの大きな問題です。先程のジェイクとエイミーの話、AIがこの問題を解いたとしたら、どのような答えを出すでしょうか。AIにいわゆる私たちのような感情はありません。これまで持っている知識と論理的な推論で答えを出していきます。あるいはビッグデータからこれと同様の事例を探し出し、推論し、その答えを参考にするかもしれません。ギリガンが見つけた異なる視点は、エイミーと同様の多くの事例から、彼女たちがこの問題のどこに注目し、何に迷ってなかなか答えが出せなかったのか、どんな心理的な状況にあったのかに注目する視点を見出し、注意深くそれらのデータを検討していったからでした。このような新たな視点を見つけ出すことは、現在のAIが不得意なものの一つです。

## AIにケアの倫理を取り入れる

ギリガンが提唱する「ケアの倫理」、人間とはそもそも相互に関わり合っている、一人では生きられない存在であり、すべてのものは関係しているという、関係論的視点は、いろいろな分野において見方の変革を促しています。

その一つにジャーナリズムがあります。ジャーナリズムとは、新聞や雑誌、テレビ、ネットなどで、現在社会で起きている問題の報道や解説、批評などを行う活動です。これまでのジャーナリズムでは、権力を持つ政府や企業、専門家などを監視、監督し、必要な情報を市民に積極的に提供することが使命だと考えてきました。その役割を担うのが新聞、雑誌、放送などの記者や編集者などジャーナリストで、独立した観察者として、客観的であることが求められてきました。しかし社会がグローバル化、複雑化、細分化していく中で、取材対象者たちの関係性を基本にしたジャーナリズムが必要になってきたのです。

メディア学者である林香里さんは、ジャーナリズムにケアの倫理を導入した「ケアのジャーナリズム」を提唱しています。これまでとは異なるジャーナリズムのあり方として、当事者やその周辺の人々への取材から始まり、そこを出発点として視点を広げ、社会が取り上げるべき課題として、社会のニーズ、社会の公正なあり方を問い続けていく、経験や事例から考え、問題を見出し、提起することだとしています。対象に依拠した、支援者としてのあり方で、時には主観的で、対象に共感し、言葉を引き出していきます。前章で紹介した乳がんのドキュメンタリー番組はこの例です。

ケアの倫理の観点は、どういう社会が望ましいか、まちや国をこれからどう作っていくかという公共政策、つまり国民全体に影響のある問題に対処して政府や地方公共団体が行う、生活に関わることを安全に、平等に、公共の福祉などについて、改善または増進させる方針を決める過程においても、重要とされてきています。個人の自由だけでなく、関係性や利他性(利己に対して利他、他の人を思いやる気持ちや欲求)をもとにしたまちづくりです。1章のスマートシティで紹介したウィーンの女性建築家によるまちづくりの話はこの例です。

「ケアの倫理」の導入によって、様々な問題や課題、その解決策の筋道が見えてくるのです。それはこれまで「女性的」として、重要視されてこなかった視点であるともいえるでしょう。二〇二〇年、新型コロナウィルス感染症のパンデミックが起こる中で、仕事を最初に失ったり、家庭内暴力の被害にあったのは、女性たちでした。そのような世界的な状況で、世界の女性リーダーたちの発言や対応が、話題になりました。ドイツのメルケル首相、ニュージーランドのアーダーン首相、台湾の蔡《ツァイ》総統、フィンランドのマリン首相、デンマークのフレデリクセン首相などです。彼女たちに共通していたのは、リスクと共感に対する姿勢や、明快で断固たるコミュニケーションであり、人命を守ることに関してリスクを回避する傾向であり、より共感的で民主的な参加型スタイルでした。

また、Change.org の例では、女性だけでなく、高校生や若者たちがあげた声によって、今まで隠れていた問題が見えるようになってきました。このようなところにも、人間は相互に依存しているという関係的存在であるという事実をもとに、他者への関心、責任、相互援助の視点から、社会的制度、組織を見直すというケアの倫理の考え方が、現れてきています。経済格差、教育格差、そして地域の格差など、様々な格差の解消のために、そして多様性を受容し、包摂していく際に欠かせないのがケアの倫理です。そしてこの他者への配慮は、環境への配慮も含み、人々が生きる環境の倫理ともいえるでしょう。

ケアの倫理を含む、倫理をどのようにAIに導入していくかは、AI研究者の間でも現在大きな課題となっています。3章で紹介した世界的にも読まれているAIの教科書『エージ

エントアプローチ 人工知能』は、英語では、二〇一〇年版から内容を更新したものが二〇二〇年に出版されました。特筆すべきは、最後の結論の章に「AIの哲学・倫理・安全性」という節が追加され、AIが社会に与える影響について、兵器、監視・セキュリティ・プライバシー、公平性とバイアス、信頼と透明性、仕事の未来、ロボットの権利、AIの安全性などの重要な問題に関して書かれていることです。しかしここに答えはありません。なぜならこれらの問題は、AIの研究者だけでなく、みんなで考え、議論しつつ、開発と改良をこれから先も重ね続けていかなければならないことだからです。

## 変わるAIエンジニアの役割

AIやロボットの研究では、今後ますます生活の中に入ってくるにもかかわらず、現在はその開発者は男性に偏っているという指摘もなされています。スマートホーム(家)、スマートシティ(まち)、スマートネイション(国)、スマートワールド(世界)を作っていく過程で、ケアの倫理をどのように導入していくか、考え、実行に移していくにはどうしたらよいでしょう。まずは、開発者の多様性の確保が必要です。

そこで私が考える一つの方向は、AIエンジニアの役割、機能の追加です。AIの歴史の中で、AIに関わるエンジニアの役割は変化してきました。第二次AI時代の一九八〇年代に専門家システムを開発する際、必要とされたのはナレッジエンジニアと呼ばれる人たちでした。彼らの役割は、特定の領域の専門家が保有する知識を抽出し、システムに組み込むことです。専門家から知識を引き出し、コンピュータで解決できるよう、データとして表現できるようにする人です。

第三の時代の今、必要とされているのは、データサイエンティストです。深層学習やニューラルネットワークシステムのために必要とされています。彼らの役割は、世の中にある意味のある、ありそうなデータを収集し、コンピュータで解決できるよう、データとして表現できるようにすることです。データを収集して分析するだけでなく、データ分析に基づいて合理的かつ包括的な意思決定を行うためのシステムを開発する人です。

その次の時代に必要だと考えるのは、「共感デザイナー」(empathic designer)と私が名づけた役割の人です。ケアの倫理により課題を見出し、コンピュータで解決できるよう、データとして表現できるようにする人です。共感デザイナーとは、当事者意識を持って身の回りにある課題を見つけ、それを解決するために、AIをツールとして活用できる形で定式化し、新しいモノや仕組みを考え出し、責任を持って行動していく人のこと。その過程において、

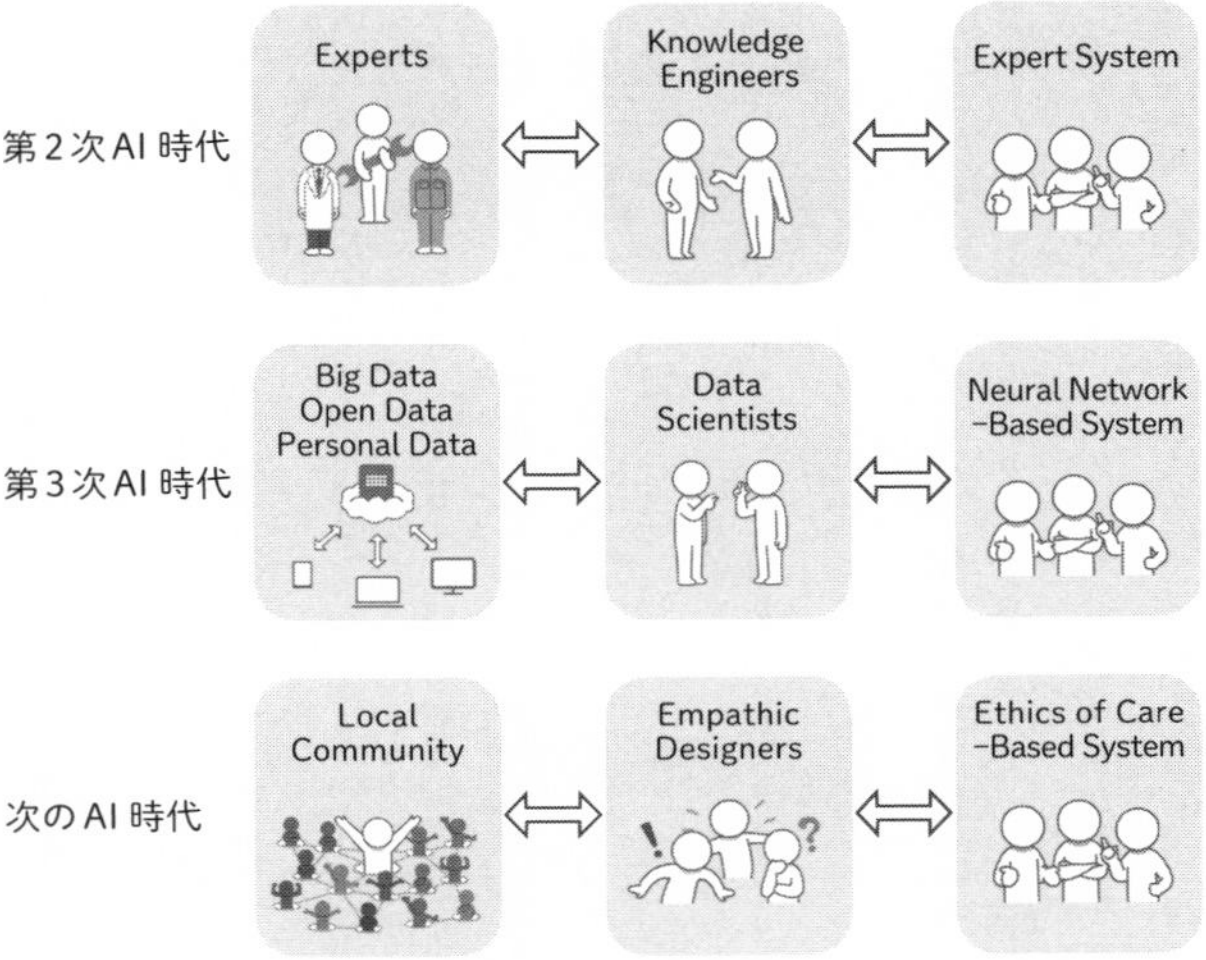


図4・2　時代とともに変わるAIエンジニアの役割

課題の置かれた状況の対立やジレンマを調整していくのです(図4・2)。これは、AIと共生する社会において必要な、新しい知性のあり方、「創造的共感知性(creative empathic intelligence)」といえるでしょう。

### 創造的共感知性と集団的知性

本書の主張の根底にあるのは、「共感」と「ケアの倫理」の視点でAIを活用していくことです。共感(エンパシー)は、日本語では同情(シンパシー)と混同されがちですが、異なる概念です。同情は、誰かの不幸や苦悩に対して悲しみや哀れみ、苦しみを感じること、感情であるのに対し、エンパシーは、他者の意図を理解し共有するという、理解する力、共感力のことです。

一方ケアの倫理とは、人間は相互に依存しているという関係的存在であるという事実をもとに、他者への関心、責任、相互援助の視点から、社会的制度、組織を見直すものです。他者への配慮は、環境への配慮も含み、人々が生きる環境(社会、自然)の倫理ともいえるでしょう。ケアの倫理は、世界を見る視点の一つ、社会の公正なあり方における問題発見のための点検項目といえるかもしれません。

また、ファブラボやChange.orgのように、みんながつながり、知識が共有され、そこから新たな知識や仕組みが生み出されていくということでは、「集団的知性(collective intelligence)」が生まれ、それを育んでいく環境ができてきています。集団的知性とは、これまで個人のものとしてとらえていた知性に対し、多くの個人の協力、集団的努力、競争から生まれ、合意に基づく意思決定に現れる、共有された、あるいは集団の知性のことです。みんなが書き込み修正していけるオンライン辞典のWikipediaもそのひとつといえるでしょう。情報通信技術が、人間の相互作用の範囲を同時に拡大することによって、知識や創造性を互いに共有し、協力して思考や表現を広げています。

集団的知性は、協調と革新を通してより高次の複雑な思考、問題解決、統合を可能にする、人類コミュニティの力です。集合的知性が民主化にとって重要であるという主張があります。それは集合的知性が知識ベースと結びつき、集合的なアイデアの共有によって維持され、より高い知的能力を発揮したり、個人の認知バイアスに打ち勝って、多様な社会に対する理解を深めることに貢献するためです。他方、既に企業では機械学習アルゴリズムのために、集合的知性と考えられるネット上に広がった膨大な量のデータを収集しているところもあります。

グローバル時代における変革が分野を横断して、同時代的に起こってきています。その中で共通しているのは、身近な人々、身近な問題に心を寄せ、詳細に見ていくことで、その背後にある組織や社会の課題、問題の本質を明らかにすることです。そしてその大きな問題こそ、まわりの人々と共有し、解決に向けて取り組むべきところであり、これまでの科学技術を効果的に活用していくためにその要としてAIを活用していける可能性が広がっています。また同時に、そこには課題も横たわっています。

# 5章
# 何を学ぶか、どうやって学ぶか

ここまでで、AIやロボットの存在がこれからますます大きくなってくることを理解できたと思います。

人生一〇〇年と言われる時代、現在中学生や高校生のみなさんは、二二世紀まで生きる可能性があります。そしてすぐそこに来ている未来、すなわち、AIやロボットと共生する社会が、誰にとっても幸福な社会であって欲しいと願うわけですが、そのような時代に大人になり、その社会で生きていくみなさんは、今何を学んで、どんな力をつけておけば良いのでしょうか。それをどうやって学んでいくかも重要です。本章では、そのことを複数の視点から考えていきたいと思います。

## 望ましい未来とは

望ましい未来を考えていく際に、指標になる基準がいくつかあります。そのひとつが、OECD(経済協力開発機構)が二〇一一年に発表した「より良い暮らし指標(Your Better Life Index: BLI)」です。これまで国の豊かさを測る指標として一般的に用いられてきたGDP(国内総生産)よりもきめ細かに、人々が暮らしを計測、比較することを可能にするインタラクティブ指標です。

次に示すその指標には、暮らしの一一の分野(住宅、所得、雇用、社会的つながり、教育、環境、市民参画、健康、主観的幸福、安全、ワークライフバランス)があります。

住宅：一人当たりの部屋の数、住居費、基本的衛生設備(例：水洗トイレ)の整備率
所得：家計可処分所得、家計金融資産
雇用：就業率、長期(一年以上)失業率、平均年収、雇用保障
社会的つながり：困った時に頼れる親戚・友人がいると回答した人の割合
教育：高校修了者の割合、教育を受ける平均的年数、義務教育修了時点の読解力、数学及び科学的リテラシー
環境：大気汚染、水質
市民参画：投票率、立法過程における協議プロセスの整備状況
健康：平均寿命、自分の健康状態が良い・大変良いと回答した人の割合
主観的幸福：生活の満足度の自己評価
安全：人口一〇万人あたりの殺人件数割合、夜間に一人で外を歩いても安全と答えた人の

割合(一五歳以上)
ワークライフバランス：長時間(週五〇時間以上)勤務者の割合、余暇や個人的活動(睡眠、食事)に充てた時間

(www.oecdbetterlifeindex.org)

この指標が公開されているサイトでは、生活するうえでより重視する項目を選んで、各項目をあなた自身の重要度(〇から五までの六段階)に応じて選択できます。「より良い暮らし指標」のポイントは、個人のことを掘り下げていくうちに、お金があればそれでよいか、それとも、仕事と仕事以外の生活のバランスなど他のことに目を向けるべきかなど、社会の幸福度を測ることについても考えるきっかけになっていくことです。

ＢＬＩは、より多くの知識や情報に基づいて、私たちの生活のすべてを方向づける政策決定プロセスに関与できるようにすることを狙いとしています。

自分の指標を作ると、いろいろなことができるようになります。指標を作るたびに、誰でも利用可能なデータベースに入り、自分のＢＬＩを世界中の人々のＢＬＩと比較したり、自分の考えが他の人とどう違うか、もしくは同じかを見たりできるようになります。それには、

自分の国、性別、年齢層を入力して、自分の指標を投稿すれば良いのです。自分の指標を友人と共有したり、自分のウェブサイトに掲載し、他の人にその人自身の指標と比較するよう促したりすることもできます。

また世界中からたくさんデータが集まってくれば、各国の市民が良い暮らしの中身についてどう考えているかの全体像を把握することが可能になります。4章で紹介したChange.orgと似ていますね。デジタル技術を使って、市民一人ひとりの考えをネットワークを通じて集め、いろいろな国の人たちの考え方と比較することで、自国の傾向を見たりできるのです。

この指標を開発したOECDは、このシステムから集まってきたビッグデータとその結果を、それぞれの国の政府に伝えることで、各国が改善に向けて動き出し、世界全体がよりよい社会に向かっていけるよう挑戦しています。

二〇一八年の日本の結果を見ると、ネガティブな面としてあげられていたのは、男女によって賃金の差が大きいことや、仕事時間が長いことのほか、主観的な幸福度が低いことがあります。ポジティブな面としては、平均寿命が長いことや殺人事件の数が少ないこと、科学分野の学生の技能が高いことです。

ＯＥＣＤの指標の他には、国連の「世界幸福度調査(World Happiness Report)」があります。世界の一五六カ国を対象に調査し、二〇一二年から毎年実施されています。こちらでは、主観的な幸福度を調査するとともに、一人当たり国内総生産(ＧＤＰ)、社会保障制度などの社会的支援、健康寿命、人生の自由度、他者への寛容さ、国への信頼度の六項目を加味して順位付けし、世界ランキングを公表しています。このレポートで日本は、二〇一八年は五四位、二〇一九年は五八位で、二〇二〇年は六二位と順位を下げています。

日本は世界的に見て長寿で安全な国で、一見したところでは望ましい未来を達成しているように思えますが、なぜ幸福であると感じられていないのでしょうか。

## みんなが幸せと感じるには

国連の世界幸福度調査では、世界全体の傾向としてこの一〇年間ほど、心配ごとや悲しみ、怒りといったネガティブな感情のスコアが増加傾向にあり、ポジティブな感情が少しずつですが減る傾向にあるといいます。二〇二〇年に始まったパンデミックによって、この傾向はさらに加速されるのではないかと危惧されています。

ここにどんな社会が幸せかを考えるヒントがあります。前章で紹介したケアの観点から政治学者の岡野八代さんは、前述の『ケアするのは誰か?』の中で経済学者のナンシー・フォルブルが創作した寓話《ぐうわ》を紹介しています。要約するとそれはこんなお話です。

昔あるところに力の強い女神たちがいて、オリンピックのような競技を開催することにしました。ある一定時間内に集団で最も遠くへ走ることのできた国(社会)の、すべての者に対し、健康と財産を与えることにしました。この競技のポイントはあらかじめ距離を決め、最も短時間で走りきった国が勝者になるのではないところです。その国(社会)がひとつのチームとして行動し、その構成員全員を前進させることができるかを競うものでした。

A国では、全員に速く走ることを命じたため、高齢者や子どもの脱落者が出ました。B国では、すべての若い健康な男性にトップを走らせ、そのあとに子ども、病人、高齢者、そして手当が必要となった走者をケアするために女性を併走させました。しばらくして彼女たちは、自分たちもケアをしなければ速く走れることに気づきました。一方で走ることと同様にケアすることも重要であると主張し始めましたが、男性たちは聞く耳を持ちませんでした。そこで女性たちはストライキに入り、この国は競技を続けることができなくなりました。C国は、最初は亀のように遅い動きでしたが、ゆっくりと着実に前進しました。全構成員に対し、走ることと、走れなくなった者のケアを命じました。できるだけ速く走りつつケアもしなければならないという負担がありましたが、その負担を全員で担ってともに走ることで、徐々に速く走れるようになっていきました。そしてみんなの間に連帯感も生まれてきたのです。

みなさん、もうおわかりですね。競技の勝利は、C国にもたらされました。このお話と先ほどの幸福の指標を合わせて、みんなが幸せと感じるには、どんな未来、ひいては社会が望ましいか考えてみましょう。それについて次節からは「学び」を軸に置いて見ていきます。

## サンフランシスコの学校で

AIやロボットに取って代わることのできない、人間にしかできない、人間らしい部分を伸ばす、その部分を強化するとしたら、それはどうすればよいのでしょうか。それが前章でお話ししてきた、他者に共感したり、意図を汲み取ること、ケアの考え方の延長線上にあると考えます。それは、身の回りや地域、世界に思いを寄せ、そこにある課題を見出し、その解決に向けて共同していく力を養うことです。

二〇一九年三月に米国カリフォルニア州にあるThe San Francisco School（SFS）を訪問し、校長先生とお話しする機会がありました。SFSは一九六六年に設立されたサンフランシスコで一番古い、共学の私立学校です。幼稚園年長から八年生（日本では中学二年生）まで、全校生徒数二八三名（二〇二〇～二一年現在）の小規模校です。

幼稚園生の教室では、子どもたちがポーズをとった写真が掲示されていました（図5・1）。そのコーナーのタイトルは、「Can you guess what they are feeling?（彼らがどんな気持ちか想像できるかな？）」とあります。子どもたちがそれぞれ、表したい感情のポーズをとり、撮影する。その写真を青色画用紙に貼り付け、写真の下に正解である感情の単語（例えば、

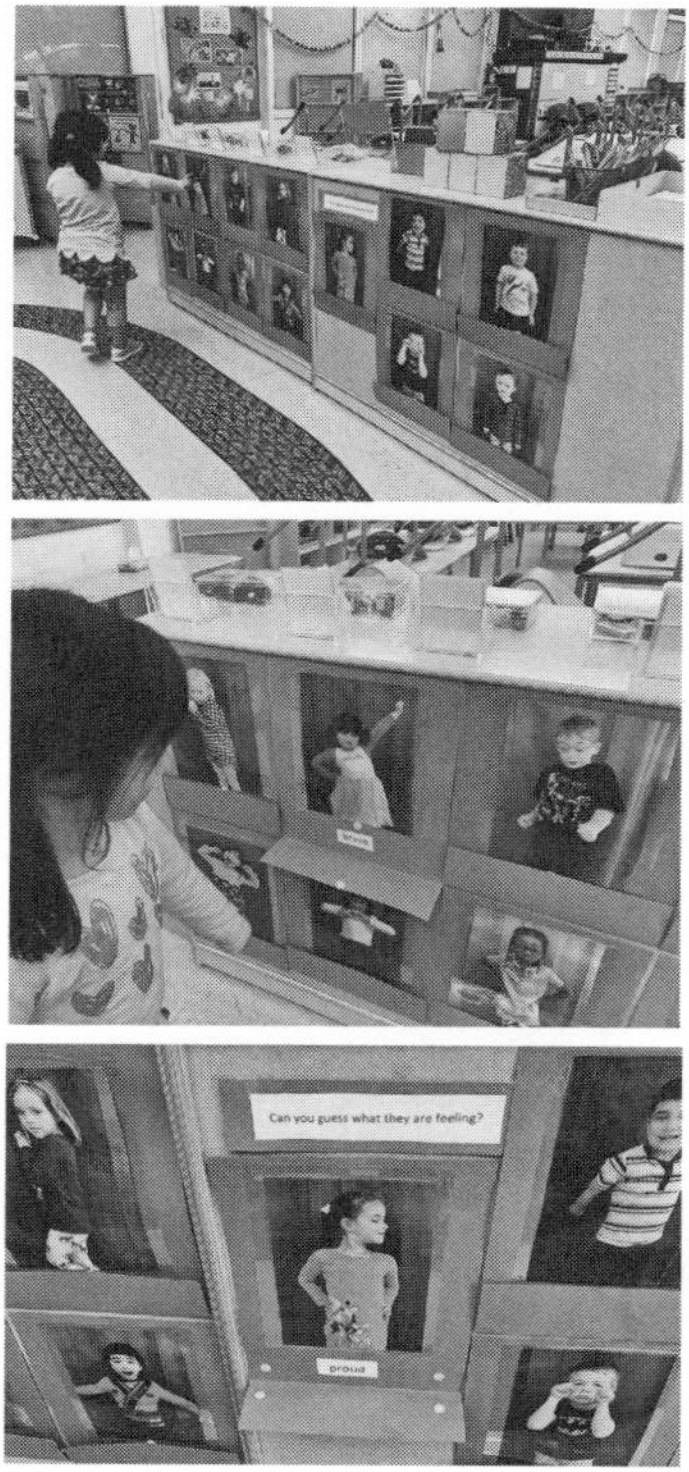


図5・1 「彼らがどんな気持ちか想像できるかな？」

怖い、うれしい、びっくり、恥ずかしい、おもしろい、はらだたしい、など)が隠されていて、その部分をめくると、正解を確認できるようになっています。

ちなみに横を向いたワンピースの女の子(写真下・中央)は、「proud(誇りに思う)」。左手を高く上げている女の子(写真中・中央)は、「brave(勇敢な)」です。他者に自分の感情を伝えるのにどのようにすればよいかを考えること、そして他者のポーズや表情から、その感情を読み取るという実践であることがわかります。自己表現と他者理解。こんな年齢から学ぶ機会を提供しようとするところに、教育実践者たちの意気込みが感じられます。

幼稚園生の教室は一番奥にあり、そこから玄関に続く廊下には、五年生のグループ活動のポスターが一〇枚、その次に七年生のものが一枚、最後に八年生のものが貼られていました。子どもたちは毎日その廊下を通って教室に向かいます。子どもたちだけでなく、教職員や保護者も、そして私のような訪問者も、そこで何が行われているかを垣間見ることができます。

五年生の探究学習の各グループのポスターのタイトルには、国や地域の名前が書かれています(カバーそで参照)。コンゴ、南スーダン、ウクライナ、エルサルバドル、グァテマラ、ナイジェリア、アフガニスタン、イエメン、ブータン、イラク。さて、何の探究学習でしょうか。一枚のポスターの中には、地図や写真、国旗、調査結果などが書かれています。そのポスターのほかに、水彩で描かれた地図がその上部に貼られていました。

一番右端の掲示物まで行くと、そこに学習の意図が書かれたプリントがありました。探究学習のテーマは、「難民体験」でした。五年生が九週間かけて行ったとあります。六つの基本的な問いが与えられ、それを自分たちで調べたりするだけでなく、その期間には、様々な立場の関係者(例えば、難民支援のNGOの人や弁護士の保護者、難民と関係のある近隣の人)を招聘《しょうへい》し、ワークショップを行っています。六つの問いを次に示します。

〈六つの基本的な問い〉
・誰が難民になるのか
・亡命希望者や移民と何が違うのか
・なぜ難民キャンプが存在するのか
・誰が難民を世話すべきか
・ある政府や人々は難民を助けることになぜ消極的なのか
・どの国が難民を受け入れ、どの国が受け入れていないのかこれらの問いに答えようとし、探究していくという実践が、五年生で行われていることに驚かされます。このような学習を経験した子どもたちの行く末が楽しみです。これを日本で、同じ学年の小学生、あるいは中学生、高校生、大学生に行ったとしたら、どのような成果物が出てくるでしょうか。

八年生の掲示物のタイトルは、「Gee's Bend に触発されたペーパーアート」(カバーそで参照)です。色とりどりの包装紙をハサミで不定形に切って画用紙に配置し、その上をミシンがけしてありました。まるでパッチワークキルトのようです。半分に折ったら、誕生日カードやノートになるとか、バザーのオークションアイテムになるなどと、コメントが書かれていました。最初に私が感じたのは、色あざやかな、洗練された、抽象的な現代アートの作品であるなということでした。

しばらくして、英語の意味がよくわからない Gee's Bend について調べてみてわかりました。それは、米国南部、アラバマ州のギーズベンドというところに住む、アフリカ系アメリカ人の女性たちが何世代にもわたって、家族のために作ってきたキルト文化のことだったのです。一九世紀中ごろ、奴隷として過酷な労働環境の中で働かされていた人たちが、リサイクルされた作業服やドレス、飼料袋、廃棄される生地を変形させ、幾何学的で、大胆かつ即興的に構成されたキルトを制作していたのです。この歴史を学んだ上での作品制作であると思い至りました。

訪問時にはこの学校の教育方針について直接うかがうことはできませんでしたが、帰国して写真を読み解いていくうちに、それらの実践の底流にある考え方が見えてきました。SFSの公式サイトに学校の方針が書かれていました(訳は筆者)。

「相互尊重を実践し、多様性を受け入れ、学習への情熱を刺激するコミュニティの中で、各生徒の知的で、想像力豊かで、そして人道的な行動を養い、ほめたたえる」

学校の公式サイトにあるデータのページでは、保護者や教員の人種の多様性だけでなく、家族構成やLGBTQIAの割合などのデータを、視覚的にわかりやすく表現し、紹介していました。

社会の課題解決に向け、新しいことを考え出す人の時代です。生徒も先生も、そしてそこに関わる大人たちは、どのような社会が望ましいか、そのために何を学び、何を教えていくのかという学習環境をデザインし、挑戦し続けていく必要があると感じました。そして、このような教育のあり方が、ＡＩの時代を生き、よりよい社会を作るという課題に向き合っていく鍵の一つになるのではないかと思いました。

【参考ＵＲＬ】

① The San Francisco School（ＳＦＳ）
https://www.sfschool.org/

② SFS By the Numbers
https://www.sfschool.org/live/files/362-sfs-by-the-numbers-2020-21

③ 二〇一九年三月の難民体験学習に関する記事
https://www.sfschool.org/live/news/421-5th-grade-refugee-unit-builds-intercultural

④ Gee’s Bend
https://www.soulsgrowndeep.org/gees-bend-quiltmakers

## OECDのキーコンピテンシー

もう一つ、鍵になっていく考え方があります。コンピテンシー(competency)という言葉を聞いたことがありますか? 辞書を調べると、資格、能力、強みなどと出てきます。最初はビジネス分野でよく使われていましたが、近年、教育の話にも出てくるようになりました。コンピテンシーは日本語で、特に教育の分野において、「資質・能力」と訳されることが多くあります。コンピテンシーは「有能だ」と認められるありさまや、あり方をまとめたものです。

二〇世紀終わり頃から、二一世紀を生きる子どもたちにどのような知識やスキルを習得させるべきかが大きく変化してきました。OECDは、それらをキーコンピテンシーとして、その評価方法とともに公表しました。学習者が習得すべきことは、知識(何を知っているか)から、認知能力(知識・スキル)、非認知能力(態度・価値観)、キーコンピテンシー(何ができるか)へと移行してきました。

そこには読み書き能力やニューメラシー(数学活用能力・数学的リテラシー)に限らず、データ・リテラシー(データ活用・解析能力)やデジタル・リテラシー(デジタル機器・機能活用能力)、心身の健康管理、社会情動的スキルも含まれます。これらは二一世紀で活躍するために欠かせない基礎能力であり、人間の知性を支える重要な側面であると、ますます重要視されています。ここでいう知識、スキル、態度及び価値は、左記のことを表しています（OECDのHPより。訳は筆者）。

・知識とは、学問的知識、学際的知識、認識論的知識（歴史学者や科学者のように考えるにはどのようにするかなどの見方・考え方）、手続き的知識
・スキルとは、認知的・メタ認知的スキル、社会的・情動的スキル、身体的・実用的スキル
・態度および価値とは、個人、社会、環境の幸福に向けての道のりにおいて、自分の選択、判断、行動、行動に影響を与える原則や信念

OECDは、これらの教育に関する持続可能な開発目標の達成が、あらゆる国々にとって重要課題であるとし、二〇一五年から「Education 2030」プロジェクトを進め、二〇一九年、これまでの成果（フェーズ一）をまとめた最終報告書の一つとして、コンセプトノート（Leaning Compass 2030）をHPなどを通じて公表しました。そこではこれまでのキーコン

ピテンシーのカテゴリーに、新たに変革を起こすコンピテンシー(transformative competencies)のカテゴリーを追加しています。変革を起こすコンピテンシーは次の三つの要素からなっています。

・新たな価値を創造する力：新しい製品やサービス、方法論、思考様式、新しい社会モデルなどを他者と協力して生み出していくこと
・対立やジレンマに対処する力：多様な考え方や利害を調停し、様々な競合する需要間のバランスをとること
・責任ある行動をとる力：自らの行動の将来の帰結を考え、リスクと報酬を評価し、自分の仕事の成果物について責任をとること

ここで強調しているのは、学習者の主体性(Learner agency)であり、学習方法としては、現実世界との関わりの中で、予見(Anticipation)、遂行(Action)、省察(Reflection)というAARサイクルを通して行う必要があるとしています。このサイクルを意識して学習していくことで、これからの社会でAIやロボットとの関係を考えつつ、ケアの倫理やUDの視点

を保ちつつ、変革を起こすコンピテンシーを発揮していくことになります。

## 読む、見る、聞くことから学ぶ

キーコンピテンシーが大事だというのはわかりました。では毎日の学習の中で、今日これからすぐに始められることはなんでしょうか。それは、自分の学びを調整するということです。

「読む」という活動は、学習の様々な場面で出てきます。授業や宿題で、本や資料などを読む課題が出ます。このときみなさんは、どのように読んでいるでしょうか。「読む」といっても、「字面を追うこと」と「内容を理解すること」は異なります。

本や新聞、雑誌などの印刷物を「読む」ことに比べ、テレビ番組や映画などの映像を「見る」ことは、易しいことのように思えます。幼児は見方を教わらなくてもテレビを見て楽しんでいます。しかしこれは、日常生活の中で「見る」ときのことです。

映像を見る際に、字面を追うようなことが起きていないでしょうか。簡単にできてしまうからこそ、「見る」ことから学ぶ際には注意が必要です。

「聞く」ことについても同様です。音声教材を聞く、講義を聞く、グループディスカッシヨンで他のメンバーの話を聞く状況を思い浮かべてみて下さい。字面を追うような「聞き流し」が起きていないでしょうか。心地良い音がただ流れているとして気に留めない、あるいは、まるでどこか外国の雑踏の中にいるように、何を言っているのかわからないのでそのまま放置するなど。

ではどうしたら、そこから学べるのでしょうか。課題として出た文章、あるいは教科書のようなテキストを読む場合、いくつかのことを心がけることによって、理解を深めることができます。

まず読み始める前に、なぜこの本や文章を読むのか、目的をはっきりさせ、そこから得られることを予想すること。そしてそれらをメモの形で書き出しておくことです。

読んでいる最中には、そこに書いてあることは本当か、なぜこのようなことを言っているのだろうと、読んでいる内容について疑問を持つこと、批判的に読むことです。その中には情報源を評価することも含まれます。

読んだ後には、全体の内容をまとめてみる。その際、自分の言葉で置き換えてみる。友人や家族に説明するつもりで言い直してみることも役立ちます。読み始める前に書いた目的が達成できたかどうかを振り返ることも大切です。

見ること、聞くことの内容を理解し、深く学ぶためのポイントも同様です。

まず始める前に、なぜこの映像を見るのか、講義を聞くのか、目的を考える。見ている、聞いている最中には、そこに出てくることは本当か、なぜこのようなことを言っているのだろうとして、見る、聞く。終えた後には、全体の内容をまとめてみる。そして、始める前に書いた目的が達成できたかどうかを振り返る。

読むこと、見ること、聞くことからの学びを調整するのは、実は同じことなのです。ですから、その方法を知り、意識化し、習慣化することで、メタ認知スキル(自分自身を客観的にとらえる力)を発達させていくことができます。

講義や他者の話を聞く、資料映像を見る、本や資料を読む機会をとらえ、自分をコントロールできるようにしていくこと。三つに共通することは、それらへの構えを持ち、活動の前、最中、後において自己観察(モニタリング)することです。

またそれらは、考えるだけにとどめず、書き留める、文章にして書き出す、絵や図に描く、人に話すなどが効果的です。

誰かと話をしたり、言葉にしたり、文字にして書いたりすることで、自分が何を考えているのか、どうしたらよいかの考えが深まります。これを認知心理学では、「思考の外化」と

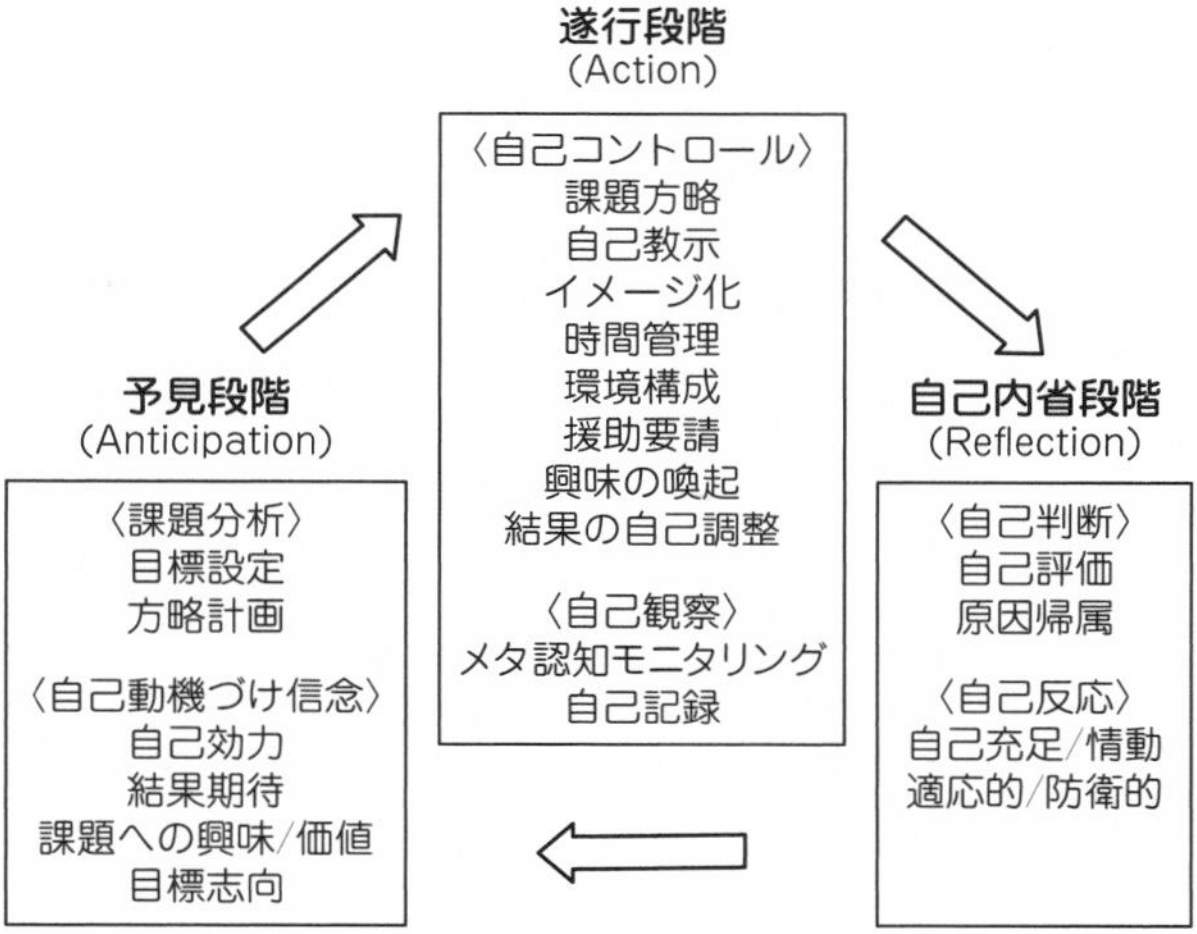


図 5・2　自己調整学習の段階(出典：Bembenutty et al., 2015)

呼んでいます。頭の中にあるもやもやとしたものをいったん頭の「外」に出すことによって整理し、自分で吟味したり、他者と共有したりできるような状態にする。

そしてそこからまた頭の「内」に戻し考える。これを「思考の内化」といいます。つまり頭の外と内との情報を上手に利用して相互作用を行うことによって思考を深めていくのです。

三つに共通することに、「書く」という活動が入っていたことに気づいたでしょうか。書くことはメタ認知を行う中で、特に重要な活動です。

資料を読む、映像を見る、講義を聞く

などの活動で、「書く」ことをうまく活用していきましょう。学習前、学習している最中、学習後の各段階で、意識的に自分をモニタリングして、コントロールすることを、自己調整学習といいます。それぞれの段階を予見段階、遂行段階、自己内省段階として、やるべきことを図式化したのが図5・2です。近年特に注目されている学習の考え方です。先に出てきたOECDのAARサイクルは、まさに自己調整学習の考え方です。

自己調整学習力を鍛えましょう。それは私たち自身が、学校において、生活において、様々なタイミングで自分自身を観察しながら、活動していくことです。そして、それが生涯学び続ける力になるのです。

## コンピテンシーに関する誤解

先に出てきたOECDのコンピテンシーに代表されるように、コンピテンシーは日本で特に教育の分野において、注目されるようになってきました。コンピテンシーは日本語で「資質・能力」と訳されることが多いと先ほど述べました。

コンピテンシーを「資質・能力」として理解しようとすると、大きな誤解が生じます。一言でいうならば、コンピテンシーは、「資質・能力」というよりはむしろ、活動の中に立ち現れてくる有能さだということです。

コンピテンシーは「有能だ」と認められるありさまや、あり方をまとめたものであり、それをもたらす原因としての「力」は想定されていないのです。ですから人間の内部にその能力の「もと」というものがあって、それが有能さを生み出していると考えてしまうのは誤りです。そうではなく、その「もと」は人々の行動が特定のありさまやあり方を示す可能性をまとめたもので、それそのものが存在しているわけではないのです。

この論を理解するのにおもしろいたとえ話があります。教育学者の佐伯胖《ゆたか》さんが『「学び」の構造』(東洋館出版社)で「風邪ひかせのヤブ医者」と呼んだ警抜な比喩を、教育学者の村井実さんが『新・教育学のすすめ』(小学館)の中で、お伽噺《とぎばなし》として紹介しています。左記は、その要約です。

あるところに、りっぱな風邪ひきが善い人ということになっている国があった。親たちはこぞって、わが子をりっぱな風邪ひきにしようと願った。専門の医者が集まる学会で、大臣や社長やお金持ちなどの、りっぱな風邪ひきといわれる人たちが備えている特徴を科学的に研究した。その結果、①三七度以上の熱を出していなければならない、②頭痛を訴えていなければならない、③だるさを感じていなければならない、ということが明らかになった。さらにそれらの症状を引き起こすための効果的な方法も学会で討議され、次の方法が最も効果的だと証明された。三七度以上の熱を出させるには、カレー粉とワサビをこね合わせて全身にすり込む。頭痛を起こさせるには、頭にゲンコツを一発くらわせる。だるさを起こさせるには、米俵をかつがせて、運動場を三周させる。全国のいたるところで、子どもたちにこの方法が施された。その治療の効果を見るために、体温を測るなどしてテストも実施された。その結果、三つの症状を兼ね備えた「りっぱな風邪ひき」の子どもができあがった。

いかがですか？「資質・能力を身につけること」が目標となり、そこからさらに、その目標が達成されたかどうかを「評価」するという、目標準拠型評価の考え方が出てきたのがわかりますか？

村井さんはこの寓話を使って、今日本の学校で行われていることは、このおかしな風邪ひかせと同じではないかと、四〇年以上前に指摘しています。

本来のコンピテンシーは、「活動の中に立ち現れてくる有能さ」であることは先ほどいった通りです。学び、そして生活する中で、また仕事をする中で発露する有能さ、そこに現れてくる多様な「よさ」を自他共に見出し伸ばしていくことが大事なのです。授業の中でかっこよく英語でプレゼンできることも大事ですが、道に迷っている外国人に声をかけ、カタコトの言葉と身振り手振りで、問題を解決してあげられる力も、立派なコミュニケーション能力です。これまで想定されていなかった「よさ」を認識し、評価することも求められるのです。

そうした気づきから、「知識を溜め込み、スキルを習得する」という従来の学習観から、「対話から知識を創り出していく、その過程で有能さに気づいていく」という新しい学習観への転換が教育現場に求められています。学習観が変われば、評価観も、評価手法も変化します。上述のコンピテンシーの議論に基づけば「習得したか否か」という従来の評価から、「よさに気づき、よりよくなろうとしているか否か」という新しい評価観に変わっていくのです。

では、どうしたらそうしたよりよい変化を生み出していけるのか、ということになります。

例えば科学者は、大学で研究や講義をしたり専門書を読むだけでなく、実験をしたり、仲間と議論をしたり、学会で発表するなど、一連の活動を通して科学者になっていきます。

またスポーツ選手も同様に、本やビデオで勉強したり、コーチに教わるだけでなく、仲間と一緒に練習したり、競技会に出るなど、一連の活動を通して優れた選手となっていきます。

ここから、この「一連の活動」を行うこと、その環境にヒントがあることが見えてきます。

有能な専門家になっていくための過程には、一人で勉強や練習をするだけではなく、「よさ」を認める他者、議論していく仲間、コミュニティの存在があります。自己、他者、コミュニティによって、行為の結果に対するリフレクションが行われています。専門家でなくても同様です。

つまり「よさ」を強化していくには、その人が属するコミュニティの中で他者と関わりを持ち、その人のよさ(有能さ)を立ち現せ、認め、伸ばしていく環境をいかにデザインするかにかかっています。

## 何を学ぶか、学ぶべきか

学ぶ環境をいかにデザインするかが重要になってきました。二〇世紀終盤、世界の動きとして、二一世紀型スキルやデザイン思考、STEAM教育、計算論的思考(computational thinking)の重要性が叫ばれるようになりました。それらが出てきた理由、そして根底にある共通したものが何かを考えるために、ここで概観してみましょう。

二一世紀型スキルとは、デジタル時代に求められる能力の代表的なもので、国際団体ATC21sが提唱しています。思考の方法、仕事のための道具、仕事の仕方、世界の中での生き方の四つの柱があります。二一世紀型スキルを最初に提唱した米国では、小学校から高校までカリキュラムに組み入れ、様々な実践が行われています。グローバルな課題を検討し、その解決に向かって行動を起こすというものもあります。その教育方法は、グループ活動であり、教科横断的、統合的なプロジェクト型学習であり、学習ポートフォリオを作成しています。ここでの教師は教える師ではなく、どちらかというと、支援者、伴走者といえるでしょう。

デザイン思考は、グラフィックデザイナーや工業デザイナー、服飾デザイナーなどのいわゆるデザイナーと呼ばれる人たちだけのものではありません。それはデザイナーたちの活動を拡張した、新しい考え方や仕組み、モノを作り出すための思考の枠組みです。創造的行為の手法としてのデザイン思考と、問題解決プロセスとしてのデザイン思考があります。状況を把握し、問題を定義し、チームでブレインストーミングし、プロトタイプを作り、検証していくという行為です。

これには、①Empathize(共感)、②Define(問題定義)、③Ideate(創造)、④Prototype(プロトタイプ)、⑤Test(テスト)の五つの段階があるとされています。すなわち、ユーザに共感して価値観を共有し、実践可能な問題定義文をつくり、チームでアイデアを創出し、物質世界に落とし込んでプロトタイプを作り、解決策を洗練していくためにテストしていくという行為です。分析的なアプローチをとりながら、創造的なモノや仕組みを作り出すことを行います。

ＳＴＥＭ教育は、Science(科学)、Technology(技術)、Engineering(工学)、Mathematics(数学)の頭文字をとって名づけられました。欧米を中心に、幼稚園から高校生までのカリキュラム中で、これらの科目に重点を置いた教育のことです。単語のＳＴＥＭには「木の幹」「重要な柱」という意味があります。近年このＳＴＥＭにArt(芸術)が加わり、ＳＴＥＡＭといわれるようになりました。表現したり、モノづくりをしたりしていく際に、「Ａ」を加え、より多彩に、「想像する力」(imagination)と「創造する力」(creation)が必要だということに言及しています。先に述べたデザイン思考も関係しています。

教材としては、プログラミングやデジタル工作を題材としたものが登場してきています。これらはそれぞれの科目を独立して教えるだけでなく、テーマを定めて科目を統合するものもあります。ＳＴＥＡＭ教育では例えば、ダンスと物理学を合わせ、慣性の法則や運動の法則、作用・反作用の法則、重心などを教えるものがあります。また、アート(視覚芸術、ダンス、ドラマ、音楽などあらゆる創作活動)と別の科目を結びつけた創造的プロセスに取り組み、両方の科目で進化する目標を達成しようとするものもあります。

計算論的思考は、コンピュータを利用することを前提とした問題解決の手法や、コンピュータの情報処理を比喩的にとらえた、人間の新しい思考の枠組みです。この問題解決プロセスの特徴は、①分析的に、論理的にデータを整理すること、②データのモデル化や抽象化、シミュレーションを行うこと、③コンピュータで扱えるよう問題を形式化すること、④可能な解決法を特定し、テストを行い、実装すること、⑤アルゴリズム的思考を用いた解決の自動化を図ること、そして⑥他の問題にこのプロセスを一般化し適用することにあります。コンピュータサイエンスを超えて経済学、法学、生命科学、考古学、ジャーナリズム、人文科学、社会科学などに有用だとされます。

ここまで世界の潮流を眺めてきましたが、日本ではどうでしょうか。近年、日本では、プログラミング的思考という言葉が広まり、計算論的思考との混同も生まれています。

一方欧米の学校では、二一世紀はコンピュテーションの時代であるとして、コンピュータサイエンスと計算論的思考を小学校からのカリキュラムに導入しています。英国では、二〇一二年に国家カリキュラムの改定で、五歳児から小中高のすべての段階でコンピュータサイエンスを教科として、翌年から導入しました。米国では、二〇一六年の大統領令でオバマ大統領は、幼稚園から高校まですべての子どもがコンピュータサイエンスを学び、すべての人が計算論的思考を身につけておく必要があるとしました。それに呼応して、STEAM教育とともに、小学生から高校までのカリキュラムが開発され、様々な実践がなされています。

これに対し日本の教育界に広まっている「プログラミング的思考」は、欧米の計算論的思考とは異なるものです。プログラミング的思考は「コンピュータのように考える」という比喩がよく用いられ、問題を解決するために、問題を分解・分割し、組み合わせ、効率的な方法を論理的に考える力とされています。それに対し計算論的思考は「コンピュータサイエンティストのように考える」ことです。コンピュータサイエンティストは、コンピュータやソフトウェアの設計で使われるデータの整理やモデル化、抽象化、シミュレーションなどの手法の適用、可能な解決法の特定やテストの実行とその実装、アルゴリズム的思考を用いた解決の自動化、そして、他の問題にこのプロセスを一般化し適用することを生活の中でも行っています。計算論的思考は、気候変動やゲノムの解析、フェイクニュースの検出など、社会が直面している問題にも使える、汎用性の高い問題解決のアプローチなのです。AIがますます浸透してくる社会において、計算論的思考を理解することは、AIの研究開発に携わる人だけでなく、みんなに必要な、新しい思考方法の一つだといってよいでしょう。

日本の教育においては、まだそこまで進んでいないのが残念です。

## モノづくりを通した学習とPBL

これまで紹介してきた、学ぶ必要のあること、身につけなければならない力は、あなたの学校では、もう取り組まれていますか？　残念ながら、そうでない学校のほうが多いのではないかと推察します。

日本の学校、特に高校までは、教科書に書いてあることを覚えたり、練習問題を解いたり、問題が解けない場合は、解答を見てそれを理解して、テストで点をとるだけでよかったのです。しかし、その力だけではこれからの社会を生き抜いていくことは難しいかもしれません。ご存知のように、多種多様な問題が世界規模で表出しているからです。対応していくには、どんな力が必要なのでしょう。

少し前に「想像する力」と「創造する力」が必要になってくるといいました。覚えていますか？　では、私たちはそうした力をどうやって学べばよいのでしょうか。ここでは、先に述べたコンピテンシーを伸ばしていくのに有効とされる二つの方法を紹介します。

まず「モノづくりを通した学習」です。近年「モノづくり」の重要性が指摘され、大学でもこういった学びの機会が増えてきています。書物からだけでなく、活動から学ぶことや、その活動がさらなる動機づけとなり、学習者の深い理解へと結びつくからです。カタカナで「モノ」と書いているのには理由があります。それは物理的に存在する「もの」だけでなく、イベントなどの活動も含めた広い意味での「モノ」を表しています。すなわち、モノづくりの課題は、日用品から料理、芸術作品、社会的課題の解決のための制度やアプリなど、広い範囲から設定することができます。

モノづくりの過程においては、自分の学びを意識化し、振り返る機会が出現します。何を学び、何を試みたのか、問題や関心を周囲の他者と共有し、解決していくことになるのです。作っていく過程で、各自が工夫する必要が生じ、問題にぶつかりながら解決していきます。そのプロセスの中で、二一世紀型スキル、デザイン思考、STEAM教育にあるコンピテンシーが育まれていくとされています。

材料と道具を手にした時、人は作るべきものを心に描きます。そこから試行錯誤を通して問題に気づき、解決を図っていきます。人工物を制作する中で問題を定義し、解を見つけ、プロトタイプを作成し、テストし、最適化する。これら一連の経験から原則を抽出していきます。モノづくりを通した学びには、次の図(図5・3)に示すような三つの段階があります。

原理や法則というのは、汎用性のある考え方であり、ここで得た知識を新たな状況へ適用できるようにしていくのです。これらモノづくりの学びのプロセスで重要なことは、他者の存在であり、そのモノの持つ社会的意味です。他者の存在が、違いを発見し、言語化する機会を提供します。経験を通して、新しい思考の枠組みを獲得することは、複雑で見慣れない不定形の課題が出現している現代社会において、これまで直感的、感性的といわれているデザイン分野などに広く役立つことが期待されています。

次に紹介するのは、「プロジェクト型学習(ＰＢＬ：Project Based Learning)」です。総合学習、探究学習にも関係しています。ＰＢＬは通常の授業とは異なる学習機会を提供します。学問分野ごとに整理された知識の獲得を目的とする通常の授業を補うものとして、複数の分野にまたがる実社会に関連した問題の解決にチームで従事します。一つのテーマを数週間から一年かけて実施します。先の「難民体験」もＰＢＬの一つといってよいでしょう。これまで学んだ知識や技術を、実社会の問題に適用することを経験します。知識や経験を磨きつつ、課題を解決していきます。それとともに、プロジェクト管理

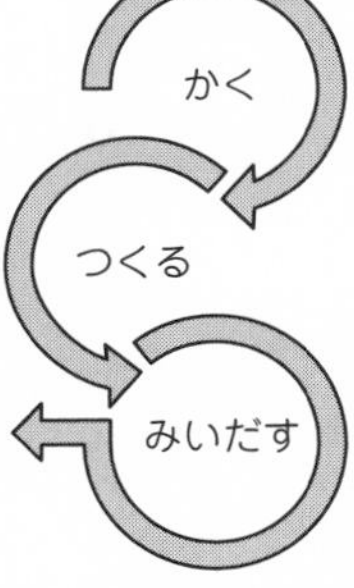

図５・３　モノづくりを通した学びの３段階

や運営方法を学習することもあります。

テーマは、通常の授業や科目に直接関連した内容だけでなく、多くは実社会の問題から選ばれるため、企業、地域社会などと連携して取り組む場合が多くあります。学習者は問題提起から問題解決までのプロセスを実際に体験します。プロジェクトを実施していく過程で、様々な科目の中でこれまで獲得してきた知識を活用し、自らが実体験を通じてプロジェクト遂行に必要なノウハウや技術を身につけるのです。

現実社会との接点を意識したテーマを扱うことで、何のために学ぶのか、学んでいるのか、ということを身をもって感じることになり、そのことが、学ぶ動機を生み出します。

ＰＢＬにおいても、モノづくりを通した学習と同様に、学習の目標は、成果物を得るだけでなく、プロジェクト遂行のプロセスを振り返り、そこで得た知識やスキル、発見した原理や原則を見出し、他の状況でも適用できるようにすることです。ＰＢＬもある種のモノづくりを通した学習といえるかもしれません。

大学におけるＰＢＬの先進的事例として、二〇〇二年から三年生の必修科目として、一年間をかけて実施している公立はこだて未来大学（以下、未来大）があります。この事例では、ＰＢＬが、学生だけでなく、教員にも、さらには関わる学外の人へ学習機会を提供していることや、それが二一世紀型スキルの獲得にもつながっていることを示しています(美馬のゆり他『未来を創る「プロジェクト学習」のデザイン』公立はこだて未来大学出版会)。もう少し詳しく、次の節で紹介します。

## アトリエ的学習環境とオンライン

一九九六年四月に、三〇代半ばの数名のコンピュータサイエンスに関わる研究者が集められ、新しい情報系の大学をゼロから創設することを託されました。今から二五年前、私たちが大学のデザインを始めた時、最初に行ったのは学習の意味について自問することでした。人が学ぶとはどういうことか。どんなに教えても学ぶとは限りません。逆に、教えなくても学ぶこともあります。「学ぶ」と「教える」とは異なる問題です。私たちは学びについてどのような環境が必要なのかを考えました。

情報系大学開学にあたり、どのような人間を育てたいか、どのような知識やスキルが二〇年後の社会に必要か、この先AIは何ができて何ができないだろうかなどと議論していきました。その中で出てきたのが、ユーザである人間を知ることです。認知心理学を必修とすることで、人間を理解している情報系エンジニアを育成しようということになりました。また情報技術を駆使して、膨大な情報を効果的に表現したり、まちや社会をデザインしていく人を育てたいということもありました。

これらを実現するために、教員七〇名の枠の中で、数名の教員を芸術・デザイン分野から、数名を認知心理学分野から採用することとしました。開学直前に函館に集まってきた教員たち、特に情報系が専門でない、芸術・デザイン系の教員や認知心理学系の教員たちは、情報系の大学で何を教えるべきか、どのような授業にしていくかの議論を毎日のように行い、試行錯誤の実践が始まりました。

開学当時未来大の情報デザイン教育では、あふれる情報の中から構造を抜き出し、編集し、再構築し、表現すること、あるいはその仕組みを設計することのできる人を育成することを目標としました。デザイン系の教員たちが行っていた授業を観察していて、その教育方法の特徴は、アトリエ的学習空間の利用、リフレクションの実施、ポートフォリオの制作の三点であることが見えてきました。

アトリエ的学習空間とは、美術系大学で通常行われている、作品を制作する学習空間のことです。通常の教室環境と異なる点は、学生の制作過程が教員や他の学生に公開され、物理的なものだけではなく、そこでのインタラクション(やり取り)が共有されることです。リフレクションは、何を学び、何を試みたのかを学習者が反芻《はんすう》する過程です。通常美術系大学では講評会と称し、学生が制作意図を述べ、教員がコメントすることを、他の学生が存在する場で行っています。ポートフォリオは、作品の制作過程や資料などを集めた学習記録を保存したものを指し、教員や学生が評価を行う際にも用いられます。

前述の三点の特徴を言い換えれば、モノを作る、他者の目にさらす、振り返って考え次の学習に活かす、ということです。これらのいずれも、近年の人間の記憶や学習の研究の知見と合致します。学習は、個人的な活動ではなく、社会文化的インタラクションや実践共同体への参加の過程としてとらえることや、記憶や学習は、その時の文脈や状況に依存しているというものです。

アトリエ的学習環境でのモノづくりを経験する中で学習者は、他者の存在と人工物の社会的意味を考えることになります。他者の存在は、違いを発見し、それについて思考を外化する機会を提供します。教室で社会的に意味のある人工物を制作することは、学生の共同的メタ認知を促進し、社会的動機付けを促進します。

二〇二〇年に入ってからの感染症の拡大で、ある大学の彫刻の授業では、素材や道具を各学生の自宅に送り、オンデマンドで作り方や課題の説明を行っていました。そこでは重要なことが欠落してしまっているように見受けられました。それは制作の過程で、学生同士の活動が互いに見えるようになっていることや、そこでの教員の各学生への指導がそれとなく他の学生に聞こえるという、アトリエ的学習環境の持つ機能です。

オンデマンドの教育は、各学生の習熟度に合わせることは可能ですが、そこで実現されるのは、個人のプロセスのみに注目した学習です。学習は個人的な活動ではなく、社会文化的インタラクションや実践共同体への参加の過程としてとらえることが抜け落ちてしまいがちになります。このような環境では、学生同士が課題の進捗《しんちょく》状況について相談したり、互いの差異を確認し合ったり、横目でチラチラと見るというような活動ができなくなっています。学習者はその影響をあまり意識していないかもしれませんが、実はその影響は大きいのです。

コロナ禍が過ぎ去った後のニューノーマルな社会においては、オンラインとオフラインのハイブリッドな学習環境が進んでくることでしょう。その時のためにもここで改めて、アトリエ的学習環境の意義について考えていこうと思います。

## 「共感性」に着目した新たな知性の側面

AIやロボットが生活の様々な場面に浸透してきているように、地殻変動的な社会的変化

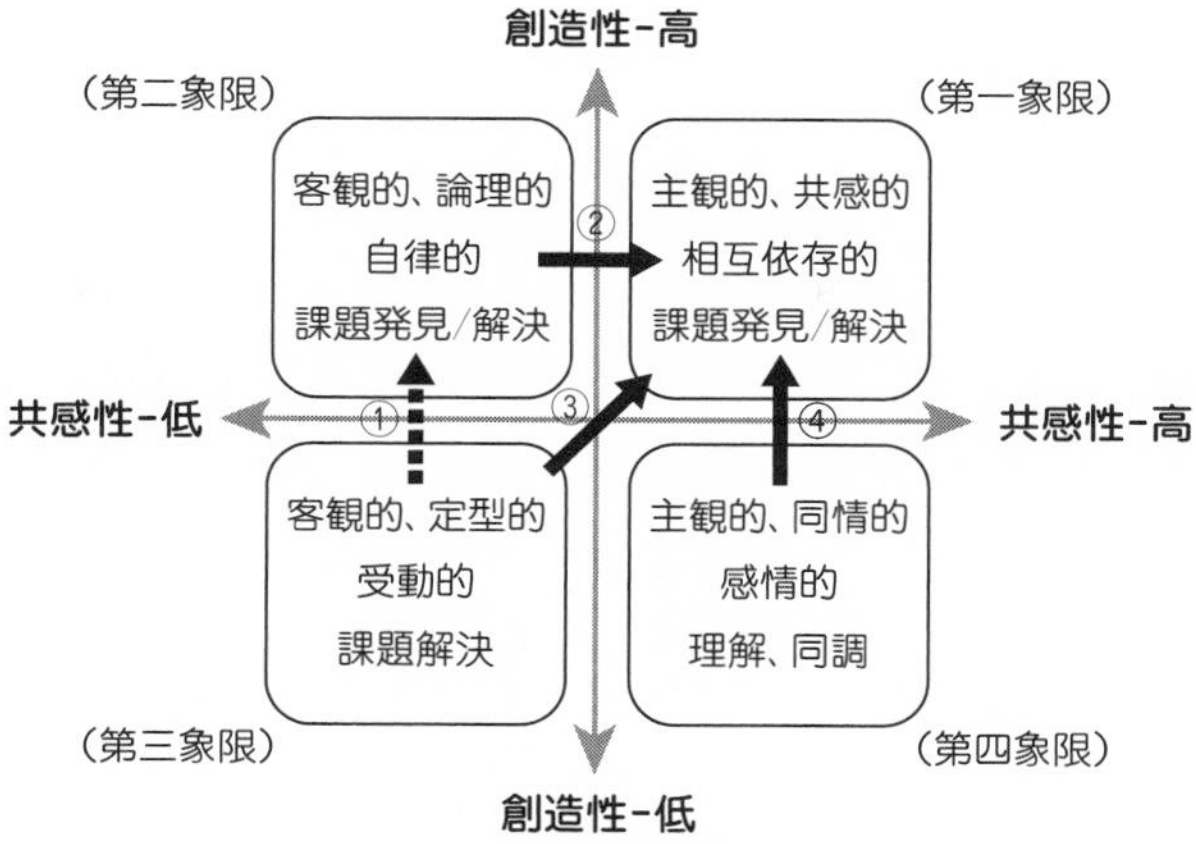

図 5・4　課題解決における創造性と共感性

の時代を迎えています。さらに二〇二〇年初頭からのパンデミックは、子どもから大人まで、多くの人々の生活、仕事、精神面に影響を及ぼしています。

そこで、よりよい社会を作っていくための力について考えるために、創造性と共感性を二軸として、図にしてみました。図5・4を見てください。

第二次世界大戦後、日本の戦後の経済成長を支えてきたのは、みんなが同じ価値感を持ち、知識やスキルを獲得するために努力すること、生産性を上げること、与えられた目標に向かって疑問を持たずに真面目に勉強し、仕事をすることでした。この活動は図の第三象限にあたります。

しかしながら二〇世紀の終わり頃には、そのような社会のあり方、考え方にほころびが見え始めました。そこで必要とされるようになったのが、二一世紀に必要な知識とスキルとされる第二象限であり、①第三象限から第二象限への移行でした。客観的に、論理的にものごとを見て、解決すべき課題を見つけ、その解決のために自ら考え、行動する人になるための教育が必要とされ、探究学習やアクティブラーニングが行われ始めたのです。

本書でこれまで見てきたように、ここに「共感性」を横軸に入れてみましょう。「共感性」の軸を導入することによって、第一象限に共感的で創造的な問題解決の力として、新たなコンピテンシーが現れることに注目してください。そこで必要になるのが、②第二象限から第一象限に移行するための方法や、③第三象限から第一象限へ移行する方法です。さらにここで特筆すべきは、これまで見過ごされてきた第四象限の状態にある課題解決には至っていなかった人々の顕在化であり、④第四象限から第一象限への移行の方法の必要性です。

この第四象限にある人々とは近年、ケアの倫理や感情労働として注目されている領域に重なります。共感性は近年のリーダーシップ研究でも注目されている側面であり、またAI研究では、実現が難しいとされる人間の特徴的側面です。

人類が直面する喫緊の課題として気候変動や格差の拡大など、地球規模の大きな問題が起こっている現在、すぐにも対応を始めなければなりません。そのためには、今まで発揮されていなかった創造性や高い共感力の側面をそれぞれ育む、②や④の学習活動は必要なことですが、それだけでは間に合いません。そこでできるのが、第二象限の人と第四象限の人たちが協調して活動していくことです。科学者やＡＩ技術者が、「異なる声」に耳を傾け、記号を扱うコンピュータでいかにそれを解決できるかを考えること、他方「異なる声」を持つ人たちは、それを届ける機会を作り、対話していくことです。

今後、共感性を基にした知性の新しい側面を理論化するためには、認知心理学、人類学、コンピュータサイエンス、社会学、哲学、教育学など、幅広い視点からの研究成果だけでなく、現代の社会現象、労働現場を見渡す必要があります。これまで説明してきたケアの倫理は、医療現場でのリーダーシップ論、ジャーナリズム論、公共政策論への導入がなされてきました。ここでは、それをパンデミック後の社会に向け、二一世紀の新たな知性の側面としてコンピテンシーの議論に導入することを提案します。

## 新たなデザインプロセス「共感デザイン」

筆者の研究チームは、ＦＥＤ(Future Empathic Design)プログラムを開発しています。

このプログラムの目的は、未来のまち、コミュニティ、職場をデザインするためのワークショップを通じて、市民のデジタルリテラシーとデザイン思考の力を伸ばすことです。FEDプログラムがその先に目指すのは、市民が自らの手で自分たちの生活や住み良いまちをデザインしつつ、改善していくことを通して、この活動の中で共感デザイン(empathic design)と呼ぶ、その考え方の社会的認知を高めるという野望です。

FEDプログラムは、AIエンジニアと市民の対話を可能にするための手法ともいえます。4章で紹介した新しいタイプのAIエンジニアである共感デザイナーが、市民に近づいていくだけでなく、市民の側もデジタル技術を理解し、具体的に応用することを考えられるようになることで、より深い対話ができるようになっていくことがポイントです。

このプログラムのワークショップで参加者は、「みんなが幸福になるために一〇年後の未来のまち(あるいはホテルなどの職場)を新しいテクノロジーを駆使してデザインする」ことを行います。その際、2章の最後に紹介したTechカードを活用します。まず個人でアイデアを考え、それを四、五人のグループ内で共有し、その後グループで一つの案を作ります。そしてその案を全体会で発表し、みんなで共有します。

このFEDプログラムの成果は、将来的には、研究者や開発者と当事者が協働的に問題を解決していく、ケアの倫理をもとにした「共感デザイン」という、従来とは異なるデザインプロセスの重要性を社会的に広めていくことにもつながっていくと考えています。コミュニティにある問題を特定し、探究し、解決策を創造していく過程で、そのコミュニティ自身の問題解決能力を高め、公平性、社会正義、コミュニティの持続可能性を促進することとしてその成果は現れてきます。ある支援が必要な人やコミュニティを想定してデザインすることは時として、その解決策が想定していなかった人たちにとっても良いもの、役立つものになる可能性もあります。

FEDプログラムは、インドと欧州と日本からのメンバーで構成される国際セミナーで提案したところ、賛同を得ることができ、ブラッシュアップしていく議論が始まりました。これから多くのみなさんに使っていただき、その結果を共有して改良していくことで、よりよい未来のデザインにつなげていける、共感デザインツールになると考えています。

前節で、科学者やAI技術者と「異なる声」を持つ人たちが協調して活動していくことが重要だと述べました。FEDプログラムは、その対話の場を作る一つの試みです。このことは、1章で紹介したウィーンのまちづくりの方法に類するものです。AIや、デジタル技術を理解し、それらを導入することを考慮しながら未来のまち(あるいはホテルなどの職場)を考える。そこにＡＩ技術者も加わっていくことで、多角的な視点からＡＩと共生する社会の実現に向けた新たな方法となっていくはずです。

# 6章
# よりよい未来をデザインするために

最後の章までやってきました。この本を通して考えてきたのは、科学技術の発達で大きく変化する社会の中で、よりよい未来をデザインするために何が必要か、何ができるかでした。その未来には、AIやロボットの存在感が、今以上に増してきているはずです。これまでの章で考えてきたことをさらに深め、進めるために、残っている問題や課題、新しい状況を紹介します。その中には答えの出ていない問題もあります。変わりはじめ、実績を残しつつある事柄もあります。またみなさんが大人になっていく間に、そしてなってからも解決していかなければならないものも含まれています。

### バックキャスティングとフォアキャスティング

現在から発想するか、未来から発想するか、それが問題です。ある問題を解決しようとしていく時に二つの考え方、方法があります。フォアキャスティングとバックキャスティングです。

フォアキャスティングとは、現在あるものに、様々な条件を考慮して、新たなものを少しずつ積み上げていったり、今ある問題を認識し、改善していくというやり方です。また、その方法で将来を予測するという意味も含まれます。

これに対しバックキャスティングとは、目標となる未来の姿を想定し、そこに至るために今何をしていけばよいかを考えるやり方です。また、目標を設定して将来を予測することも含まれます。

どちらの方法にも利点はありますが、よりよい未来をデザインするためには、バックキャスティングの考え方を取り入れることを私は提案したいと思います。望ましい未来(例えば二〇年後)を想像し、そこに向けて今の状態からどう移行していくかを考えることです。

日本が少子高齢、経済の低迷という危機的な状況にある今、望ましい未来を想像することはたやすいことではありませんが、将来ビジョン、進むべきグランドビジョンを描いて共有しつつ、その方向に向かってみんなで進もうとすることが重要だと考えます。その移行プロセスにおいて、テクノロジーの利用や学校制度などの改革の話も出てくるかもしれません。

これは前章で紹介したOECDのLearning Compass 2030の中で出てくるエージェンシー(主体性)という考え方にもつながっています。この中では、生徒(学習者)がコンピテンシーを発揮するだけでなく、教師のエージェンシーも求められています。教師は、何が生徒にとって、社会にとって良いかを考え、柔軟にカリキュラム等を組み替えるだけでなく、自身の社会参画を通じて人々や物事、環境がよりよいものとなるよう影響を与えることも大事になってきます。そのような責任感を持って生徒の学びに取り組む必要があります。

また教師だけでなく、様々な立場の大人たちにも、世の中に変化を起こす力を持った主体であることが求められます。そして教育にも関わっていく必要があります。個々人が、それぞれに頑張るだけでなく、「共に」という視点も重要です。共に主体性を持って、よりよい作用を生み出していくことを共同エージェンシー(co-agency)といいます。

学びの場で、教師と生徒が学ぶ内容や方法を協働して作っていくのも一つの方法です。その一つの先進的な例として米国東部のボストンから車で一時間ほどの郊外に、オーリン大学(Olin College)があります。3章で紹介した本の著者のマーク・ニッツバーグの大学時代の友人の一人が、マサチューセッツ工科大学の教授を辞めてそちらに移ったというので、二〇〇一年に連れて行ってくれました。そのとき一〇名ほどでプレゼンテーションとディスカッションを行いました。私からは二〇〇〇年に開学したばかりの公立はこだて未来大学の話をしました。彼らからはオーリン大学の挑戦について紹介があり、従来の工学教育を根底から変革しようとしていることがわかりました。

開学したばかりのオーリン大学は、教授一五人と学生三〇人、他に大学職員がいるだけでした。建物は建築中だったため、プレハブの建物の中で活動している教授陣と学生たちには、やる気がみなぎっていました。初年度の学生は特別で、奨学金を四年間もらえるほか、当時年間四〇〇万円ほどの学費は免除、授業も少人数制。世界中から選ばれた学生たちは、有名大学の合格を蹴って新しい大学に希望を持ってやってきました。彼らはオーリンパートナー(partner は仲間という意味)と呼ばれ、翌年本格的に開学する前に、どんなカリキュラムにするか、どんなものが必要かなど、大学づくりの議論に教授陣と対等に参加していました。

ディスカッションの中で、工学教育の質を保障するための米国の技術者教育認定団体ABETに参加するかどうかの話が出ました。ABETの認定を受けようとすると、教育の内容に制限が課せられ、従来のやり方に逆戻りしてしまうので参加しない方向で考えていて、自分たちの理念や挑戦的な方法を曲げたくはないと、独自の路線を貫くという姿勢を見せていました。

現在オーリン大学がどうなっているかネットで調べてみたところ、小規模で質の高い教育を特長とした、評価の高い私立大学となっていました。現在四〇〇人弱の学部生が在籍しており、なかでも電気工学、機械工学が人気です。授業のサイズは学生が二〇人以下のクラスが五〇%、教育の質の高さを表す一つの指標である学生と教員の数の比は八対一とあり、日々活発な議論がなされていることが想像されます。

私が訪問したとき紹介されたマークの友人とは、ロボット研究者のギル・プラットです。彼はその後二〇〇八年にこの大学の副学長になり、二〇一〇年に米国国防総省国防高等研究計画局(DARPA)国防科学戦術技術室に移籍しました。そして二〇一五年にトヨタ自動車に移り、その翌年にはトヨタの自動運転の研究所の最高責任者になっていることをニュースで知りました。

オーリン大学を訪問して間もなく、彼の自宅に遊びに行った時、ロボット研究者になったのは、子どもの頃テレビで見たアニメがきっかけだったと話してくれました。大人になってそのアニメのタイトルをやっと探し出し、それが『鉄人28号』(フジテレビ、一九六三)であることを知ったのだそうです。これは私も子どもの頃テレビで見ていた日本のアニメです。訪問時、幼稚園生の彼の次男は、米国のアニメより日本のアニメ、特に『もののけ姫』(宮崎駿、スタジオジブリ、一九九七)が好きだといっていました。「なんで?」と尋ねると、いい者と悪者の区別が明確にないから、人間はどちらの面もあるから、と答えたのには驚きました。彼の家の庭には、秘密基地のような手作りのツリーハウスがありました。

近いうちに機会を見つけてギルに会いに行き、自動運転の最先端の話だけでなく、彼がどのような未来社会を考えているのか、そして今どんな家に住んでいるのか、尋ねてみたいと思います。それは最先端のスマートホームでしょうか。あるいはツリーハウスのような原始的なものでしょうか。人間にはどちらの面もあると言っていた少年はどうなっているでしょうか。

### スマート○○

1章でお話ししてきたスマートホームやスマートシティ。これらのほかに、スマートがつくものはいろいろあります。スマート冷蔵庫のような家電から、スマート漁業やスマート農業もあります。

スマート漁業は、マリンITとも呼ばれ、IoT、AIを中心とする技術で水産業をよりよいものに変えていこうとしています。魚は獲り過ぎると種として絶滅する恐れさえあります。適度に獲ることで資源量を維持できますが、海の中の資源の状態を把握することはそう簡単ではありません。私の同僚の和田雅昭さんは、この研究分野の第一人者です。獲った量を漁師さんがみんなでリアルタイムに共有し、数字とグラフを使って資源の状態を表示するアプリを開発しました。これにより、漁業者たちは年ごとに獲る量を決めて、資源を守ることができるようになっています。

彼のプロジェクトでは研究者と漁業者が協力し、一体となって近未来型の水産業を実現するために情報技術を活用しています。研究者は水産資源と海洋環境を可視化し、漁業者は可視化された情報をもとに持続可能な水産業に取り組みます。通常、海洋・水産分野の研究者は調査船でデータを収集しますが、調査船を持たない研究者でも、漁業者の協力を得て漁船でデータを収集することができるようになりました。研究成果を漁業者にフィードバックすることで、研究開発と水産業が互いに恩恵を受け、発展していきます。もともと漁業は、漁業者個人個人が蓄積してきたノウハウによって漁獲量を競う環境にあります。しかしそこに和田さんの研究チームのように、研究者と漁業者が一体となりノウハウを共有し、持続可能な漁業を作る取り組みが始まりました。そして漁業者同士のつながりも生まれてきました。その取り組みが、今では国内だけでなく、東南アジアにも広がっています。

スマート農業は、ロボット技術や情報通信技術を活用して、労力や手間のかかる作業や熟練者でなければできない作業を軽減し、効率よく高品質の生産を可能にする農業のことです。広大な農地を持つ北海道では、トラクターの自動運転や、GPSや衛星データ、ドローンに搭載《とうさい》したカメラと画像認識などの技術を使って、効率のよい耕作を可能にするため、肥料や農薬の量などの最適化を図っています。重労働で高齢化が進む酪農・畜産においても、IoTとAIを組み合わせるなど、先端技術を活用することで生産性の向上と効率化を図っています。乳牛や肉牛一頭一頭の健康状態を日々計測し、それに合わせて飼料の配合をコントロールしたり、蓄積された牛のデータを獣医師やコンサルタント等と共有することで、管理作業を大幅に軽減することに役立てています。経営としても成り立たせつつ、持続可能な農業として、人々のよりよい労働環境を作ろうとしています。

デジタル技術を導入して、データや経験をみんなで共有し、活用していける仕組みを開発することで、代々続いてきた漁師や農家の人でなくても、新しくその業種に入っていくことも可能になってきています。

今後の課題としては、人手不足、重労働から解放することだけを考えるのではなく、地球の資源を枯渇させないように留意しつつ、循環型社会の実現に向けた視点も必要となってきています。

さらに漁業や農業のほかにも、医療をはじめ、様々な業種、分野でIoTやビッグデータ、AIを活用したスマート○○が登場し、その業種特有の問題解決に活用されています。とはいえ、目の前の問題だけを解決するだけでなく、一〇年先、二〇年先の視点を持ちつつ、共感デザインを実施していくことの大切さを忘れてはなりません。

### すべては関わり合っている

4章で共感やケアのお話をしてきましたが、いずれも人間の話でした。前述した漁業や農業のように、自然環境、社会環境にまで視点を広げて考えていくと、そこにAIの更なる可能性や人との共生のあり方も見えてきます。ケアの倫理では、「人間は相互に依存しているという関係的存在である」ということが土台となっていました。これを「生物は相互に依存しているという関係的存在である」として考えてみるとどうなるでしょう。

カキ漁師の畠山重篤さんは、気仙沼湾《けせんぬまわん》沿岸で身がやせていて売り物にならないカキがたくさん出てきた時、森林伐採《ばっさい》を行った陸側にも原因があると考え、気仙沼湾に注ぐ大川の上流での森づくりを呼び掛けました。この森と海との関係要因を科学的に明らかにするために、北海道大学の松永勝彦さんに調査を依頼した結果、気仙沼湾の植物プランクトンなどを育む鉄、リン、窒素などが大川から供給されていることが実証されました。そして植樹運動が広がり、小中学校の教科書にも掲載されるほどになりました。海に囲まれた日本は、まさにみんなつながり、関わり合っているのです。このことについては、松永さんによる『森が消えれば海も死ぬ』（講談社）に書かれています。森と海とカキの関係をわかりやすい絵本にした畠山さんによる『カキじいさんとしげぼう』（徳田秀雄絵、講談社）は、英語、フランス語、スペイン語、ポルトガル語、ロシア語にも翻訳され、畠山さんの視点が世界に広がっています。

人が生きるのに必要だとされるのは、衣食住だと言われるように、食はすべての人に深く関わるものです。食は、生きることの中心にあります。高齢化や人口減少で地域社会が大きな転換点にある今、私たちの暮らしと科学技術の関係をもとに、農業や漁業などの一次産業や、飲食、環境、そして流通や教育といった人間の営みの未来の可能性を、食から考えてみたいと思います。二〇年先の日本の産業や経済、そして文化を、食から構想する思考実験です。

食を中心にまちの成り立ちをあらためて考えてみれば、そこには農業、水産業、製造業など「生産する人」がいて、卸売業や小売業、流通業など「届ける人」がいます。それら食品を「加工する人」、飲食店やホテルで「調理する人」、市民や観光客などそれを「楽しむ人」がいます。さらにはそれらを支える水道や電気、ガスなどのインフラ、交通や観光、情報環境などを「支える人」がいます。ここに新しい技術をどのように導入していくか、それによってどんなまちができあがるのか。どんなまちにしたいのか。これらの関係を意識しつつ、まちづくりを考えてみましょう。2章で紹介した技術を使って、未来像を描いてみてください。きっとおもしろい未来図ができあがるはずです。

この思考実験からわかることは、すべては関わり合っているということです。必要な量を予測して野菜や魚を育てつつ収穫する。それをそのまま、あるいは加工して、近隣地域のお店や家庭に届ける。それをレストランや自分で調理して食べる。そこから出てくるゴミは集められリサイクルされて肥料などのエネルギーになる。こうした循環を様々な技術を組み合わせることによって最適化するために、これらのつながりを俯瞰《ふかん》してみる。このつながりの循環が、人間にとって、そして環境にとっても良いもの、うれしいものとなって持続していく。こうした未来を実現するために、私たちはＡＩをどう利用していくか、さらには私たち一人ひとりがどうあるべきかを考える必要があるでしょう。

## 生物多様性と食料生産の両立

環境、生態系に配慮した農業や漁業を行おうとすると、コストがかかりすぎ、なかなかビジネスとして成り立たない、持続可能なものとならないことが多くあります。双方にとって良い関係を作ることが難しいのです。この問題を解決しようと、実験を始めた研究者がいます。生物多様性と食料生産の両立を実現する「協生農法」を実践している舩橋真俊さんです。舩橋さんのコメントや「協生農法」についてのHPを読むと、その実践が具体的にどんなものかがよくわかります。

従来の農業では、一つの種類の植物(例えばお米)を育成するために、環境条件を変えつつ、最適な条件を見つけ、生産性を向上させてきています。これに対し協生農法は、耕さない、肥料や農薬を与えない、種と苗以外は持ち込まないという条件下で、多種多様な植物を混生・密生させた環境で、競合や共生をしながら各々最大限に成長する「生態学的最適化状態」を作り出し、植物の特性を活かしながら生産する栽培方法です。

近代農業は、発展する一方で、結果として、環境を破壊してきたことが問題となってきました。また世界的な人口増加によって食料危機も起こっています。そこで舩橋さんは協生農法の実証実験と普及を西アフリカなどで行っています。またこれを六本木のビルの屋上という都市部でも行っています。縄文時代は食料に恵まれ豊かだったと、昔を懐かしみ、その頃に戻そうという発想ではなく、科学的視点を持ち込んで、世界で起こっている問題に新しい解決の糸口を見出そうとしています。

農学者で、ジュニア新書『知ろう食べよう世界の米』の著者である佐藤洋一郎さんによれば、以前、食料問題が盛んに議論されていた時、とにかく人口減少すれば食料問題は解決するといわれてきたが、それがまったく幻想であったことは、今の日本をみれば明らかだといっています。人口が減れば、たしかに消費量は減りますが、多くの場合生産量は、それ以上に減少してしまいます。それは経済学者がいうように、そもそも生産性の低い農業人口が減るからという理由だけではないと教えてくださいました。例えば、ニシンの豊漁の翌年は昆布がよくとれたそうです。それは浜でニシンを解体し、骨や頭は茹でて干して肥料にし、茹でた後の水を海に流していたことが、昆布の栄養分になったからだそうです。最近瀬戸内海では、タイもタコもイカナゴという小魚も不漁ですが、その原因の一つは、陸域の人間活動の低下によるもので、特に排せつ物等の浄化がいきすぎたからということでした。

こうしたことは、AIに大量のデータを与えることで解が得られると思いがちですが、そう簡単ではありません。世界の気候変動と同様に、様々な要因が絡んでいるので、どのような要因をどれくらいデータとして入れれば最適な解が見つけられるのかという難しい問題が横たわっています。またそれは科学の問題だけでなく、国際政治も関係してきます。気候変動に関する国際的な議論で起こったことと同様に、各国の利害関係や既得権の問題から合意形成が難しく、またその科学的データや根拠、推論を疑うような意見も出てくることでしょう。でもそうしているうちに、温暖化と同様、気がついたときにはかなり大変な状況になっているかもしれません。

科学技術が発達したら人間の仕事は楽になり、生活は便利になると多くの人たちは信じていましたが、環境問題や生殖医療など、大局的にも局所的にも問題を引き起こしています。これと同様に、AIが進化すればみんなが幸せになるのかといえば、そう単純にはいかなそうです。一つのところだけを見て最適化しようとすると、それはまた別の問題を引き起こす。すべてのものは関わり合っています。AIだけでそれを解決できるわけではありません。そこには人間の叡智《えいち》とともに、失敗を含めて共有し、協力していく必要があるのです。

## 便利な社会と不便益

今後AIが搭載されたロボットが広く私たちの家庭や学校、仕事場に入ってくると予想されます。そのロボットには、カメラ、スピーカー、マイクロフォンの他、各種認識機能(音声認識、画像認識、物体認識)や通信機能などが搭載され、ユーザが好みに合わせてその行動をプログラムできるものが、安価に手に入るようになるでしょう。

スマートホームでは、冷暖房システム、AI搭載テレビ、スマート玄関インターフォン、スマートな電源スイッチ、スマート電気ポット、スマート掃除機、スマート体重計、スマートセキュリティカメラなど、いま家の中にあるいろいろなものが「スマート」になり、互いに通信し合うように整備されていく日もそう遠くなさそうです。

果たしてそれはみなさんが望む未来の生活でしょうか。それを考える上で参考になる映像があります。二〇二一年二月に内閣府は、スマートシティをさらに進めた「スーパーシティ構想」のPRビデオ、「『スーパーシティ』で実現する私たちの暮らし」(約四分半)を公開しました(https://nettv.gov-online.go.jp/prg/prg22184.html)。

AIやビッグデータを活用し、社会のあり方そのものを変えていく都市、「スーパーシティ」を紹介しています。よりよい社会の実現を目指し、自動運転、行政手続き、キャッシュレス、遠隔医療、遠隔教育など、暮らしを支える様々な最先端のサービスを実装した「スーパーシティ」の取り組みを進めているのがわかります。このビデオを見ると、医療や教育、災害の情報などが、どこにいても必要な時にそれぞれのタブレット、もしくはゴーグルを通じて表示され、健康も一人ひとり管理してもらえ、とても便利なようです。

さて、この映像は、あなたが予想していた未来に近いものでしたか？　それともあなたは、違った風景を思い描いていましたか？　違うとしたらそれはどんなところだったのでしょう？　なぜ違っていたのでしょう？

自分の知らなかったものを見る、異なる考えを知ることは、自分の考えを深めていくチャンスです。違うところ、同じところ、それを言葉にしてみましょう。書いてみてもいいでしょう。この手法、5章にありましたね。

ところでみなさんは、「不便益」という言葉を知っていますか。ジュニア新書に『不便益のススメ』があります。効率化や自動化の真逆にある「不便益」という新しい考え方、見方を紹介しています。不便益の「益」は、不便だから良いこと、おもしろさややりがいがあるといってもよいでしょう。著者で工学者の川上浩司さんは、その例を家庭菜園やカーナビで説明しています。野菜はお店で買えば便利なのに、わざわざ育てるという「不便」を通して収穫の喜びという「益」を得る。カーナビは便利ですが、頼りすぎると道を覚えられない。「不便益」の対義語は、便利なことがかえって害となるという「便利害」です。

便利とは効率が良いことですが、それが行き過ぎると楽しさややりがいを人間から奪ってしまうという指摘です。ロボット犬のaiboやアザラシ型ロボットのパロは、動物の犬やアザラシに見かけや動作は近いけれど、それと全く同じことができるわけではありません。また何かを運んでくれたり、お掃除をしてくれるわけでもありません。でもその存在や、すぐに反応しないその「間合い」が、困っているのだろう、かまって欲しいのだろうと、人間が勝手に想像してしまう余地を生み出し、そのゆるさが人気の秘密だともいえます。けっして便利でかしこいロボットではないところがポイントです。こういった想像ができるのも人間の特徴で、AIにできないことです。

AIは深層学習の技術によって大きく発展してきました。データから学習し、自動的に特徴を抽出していくことで、人間には難しい複雑な問題に対しても適用できるようになりました。画像認識、音声認識、自然言語処理などで大きな進歩があり、私たちの生活でも活用され、便利になってきています。しかし、ここに大きな問題があります。それはAIの判断プロセスがブラックボックスであるということです。つまりAIがなぜその結論を出したか説明ができない、根拠が不明なことです。途中で間違っているかもしれないことを確認できないのは不便なだけでなく、危険な場合もあります。そこで現在、それを説明できるようにすることや、推論を進めていくステップを可視化したり、入力変数から出力結果を予測して評価するなどの研究も進められています。

未来の生活を考えた時、面倒なことはすべてAIに任せ、勉強や仕事はしなくてよい、運動もせずベッドで寝ながら二四時間好きなアニメを見たりゲームをしていればよい、気温や湿度は完璧、そしてお腹が減ればおいしいものが運ばれてくる。生まれてから死ぬまでそんな「便利な」環境が与えられるとしたらどうでしょうか。

自分の思い通りにいかないものがある、自分と異なる意見があるという「不便な」ことを知ることによって、その違いに気づき、考えるきっかけとなることは、これまで本書で何度となくお話ししてきました。そこに意味や関係を見出し、多様なあり方を見つけ、課題があればそれを解決しようと仲間を見つけ、議論し、新しい仕組みを考え出す。そんなことがやりがいや、生きる意味につながっていきそうです。新しいことを知りたい、人の役に立ちたい、モノや仕組みを作りたい、というのはＡＩにはない、人間の基本的な欲求でしょう。そんな欲求を持つ人間が協力していくことで、地球規模の課題の解決や未来の課題の解決につなげていくことができるにちがいありません。

## 本質とデジタル

自分の考えを吟味し、深めていくために、そして新しいものや社会のあり方を考えるために、「哲学する」ことが役立ちます。哲学とは、過去の偉大な哲学者の考え方を知る学問と思われがちですが、それは哲学史であって、哲学ではありません。哲学とは、知識や真理の探究であったり、考えや主張を吟味する作業だったりします。

源河亨《げんかとおる》さんは著書『感情の哲学入門講義』(慶應義塾大学出版会)の中で、本質の見つけ方について冷蔵庫を例にとって説明しています。冷蔵庫の本質を見つけるには、冷蔵庫に一番大事なもの、それがなくなると冷蔵庫ではなくなるものは何かを考えるのです。色や形や大きさが異なる冷蔵庫は存在するので、それは本質ではありません。いろいろと考えていくと、「冷やす機能があり、ものを収納できること」にたどり着きます。これが冷蔵庫の本質です。大きな部屋を丸ごと冷やすことができるものも冷蔵庫のひとつで、冷蔵室という言い方もできます。

本質とは何かを考えてみることで、そこから新たなアイデアが生まれてくることがあります。例えば、ホテルや旅館のサービスの本質は、「泊まる場所の提供」と考えれば、泊まりたい人と泊まる場所を提供する人を、インターネットを通じて世界中の人を結びつけるというサービスのアイデアが出てきます。これが今世界中に広がっている、空いている部屋や家を提供するAirbnb(エアビーアンドビー)です。利用者はサービスを星の数で評価し、そのデータが蓄積され共有されていくので、質の悪いものは減っていくことになります。

タクシーやバスのサービスの本質は、「移動する手段の提供」です。移動したい人と、車を運転して提供する人を結びつけたのが、Ｕｂｅｒという配車サービスです。運転手と乗車する人に共通にカーナビが出てくるので、わざと遠回りして高額な料金を要求される心配もなくなりました。このサービスもAirbnbと同様に、利用者や運転者、利用した場所や距離、時間、評価などのデータが蓄積され共有されます。

電話の本質は、「コミュニケーション」です。スマートフォン以前の携帯電話も初期の頃は、遠く離れた人と音声で会話するためのものでした。そこに、カメラやメール機能、ブラウザが付き、さらにはＧＰＳや地図情報、そしてお財布機能が付くようになりました。スマートフォンでは小型のコンピュータが形を変えて「電話」になったことで、初めは声だけであった電話が、文字や画像、映像、音楽にまで拡張しています。

自動車も進化しています。自動車の本質は「移動」です。これまで自動車は、エンジンがあり、ハンドルやタイヤなど運転制御の機能、ナビゲーションシステムなどがありました。これがコンピュータが中心的機能を担うようになったことで、変化してきています。コンピュータにタイヤやステアリング、電池、インターネット、モーター、ナビがついていると考えてみるとどうでしょう。すると今までの自動車にはなかった、新たな機能を考えることができそうです。自動運転になることで乗っている人は、その移動時間を個室の映画館や音楽ホールとして楽しむことも考えられます。

現在世界で人気の最先端の電気自動車は、コンソール部分にタブレット端末が設置され、スイッチの類いはほとんどありません。空調やオーディオはタッチパネルで操作します。インターネットに常時接続していて、音声で入力も可能で、ナビを使ったり、様々な情報を検索したり、電話やメールまでできるのはスマホと同様です。車に設置された複数のカメラが、昼夜問わず走行中も、人や車、標識や道路などをリアルタイムで認識し、その様子をタブレットに表示し、必要に応じて警告するまでになっています。

「学校の本質」とは何でしょうか。まず冷蔵庫のように、それがなくなると学校ではなくなるものは何かを考えます。勉強だけではないはずです。そこには先生や一緒に学んだり遊んだりする仲間がいることかもしれません。部活があることや先輩や後輩がいることかもしれません。それを支援する技術として、コンピュータを加えることで何が見えてくるでしょう。未来の学校の、複数の異なる姿ではないでしょうか。本質が「知識を得ること」だけだとしたら、オンデマンド教材だけで学校に行かずに済むかもしれません。でも「友人」も本質だとしたら、ホームスクールやフリースクールなどからさらに、これまでと違ったいろいろな未来の学校の姿が見えてくることでしょう。

生活する地域としての「まちの本質」とはなんでしょうか。そこには誰がいるのか、何があるのかを考え、そこにコンピュータの機能を付け加えることで、未来のまちの姿が見えてくるかもしれません。

さらに「学校の本質」や「まちの本質」にケアの倫理を導入したり、SDGsの視点から考えてみるのも良いでしょう。1章で紹介したウィーンのまちのように、異なる未来の学校、未来のまちの姿が見えてくることでしょう。

## 教科「家庭科」の可能性

最近家庭科という科目のおもしろさ、重要性について考えています。家庭科には、衣食住のほか、育児や高齢社会のこと、消費や経済のこと、そして環境問題まで、生きていくのに必要な知識やスキルだけでなく、日本社会や世界の問題まで入っています。すべての教科に関わる、まさに生きることそのものが入っています。

生活するとはなんなのか、生きるとはどういうことかという、普段あまり意識していない当たり前のことを、そこから切り取り、考えるきっかけを与えてくれます。調理を通して科学的知識を使ったり、消費生活から環境問題へのつながりを考えたり。住むということからまちづくりを考えたり。未来の生活を考えるのに、最適の教科となり得ます。そして本書を貫くテーマを考えていくときに、真っ先に役立つ教科ではないかと考えています。

新型感染症の治療薬やワクチンの決定打がまだ出てこない状況では、科学的根拠のないニセ健康情報、健康食品なども出回っていました。それがかえって健康を害することもありました。このように私たちの生活の中には、科学を装ったまがいものやニセ情報があり、それが多くの人に悪影響を及ぼしています。このような誤った科学を疑似科学と言います。表面的には科学的なように見せかけていても、証拠となるデータがなかったり、実験手法に誤りがあったり、論理の飛躍があったりします。

疑似《えせ》科学などを無批判に信じ込む人間の心の動きを研究する認知心理学者の菊池聡《さとる》さんは、疑似科学の問題を考えることは、クリティカル・シンキング(批判的思考)の力を高めることにつながるといいます。批判的思考は、二一世紀型スキルやOECDのキーコンピテンシーでも重要とされていたもののひとつです。批判的思考を身につけるためには、生活の場面の事例をたくさん見て、だまされないようにするという実用的なことから考えてみること。そうした事例が身近にたくさんあることを菊池さんは教えてくれました。

こういった批判的思考を育む上でも家庭科には、生活の様々な場面が登場するので有効です。具体的な状況を設定することで、ちょっとそれはおかしいのでは、と立ち止まって考える機会を提供できるでしょうし、それは結果的に学ぶ人たちの生きる力につながっていきます。批判的思考は、SNS上に出回っているデマや、ネットの誇大広告に騙されないためにも今後ますます重要になってきます。

二〇二〇年、プログラミングがすべての小学校で必修化されました。本書で考えてきたスマートホームを家庭科の授業で、実際にプログラミングしてみるのはどうでしょうか。実際にいろいろセンサをつなげて動かしてみると、あるいは思考実験だけでも、本当にそれは便利になるかどうか、実感が持てるかもしれません。あるいは画像認識で便利な機能を家の中で実現することを考えてみると、自分が常に監視されているという感覚を経験することができるかもしれません。

本質を問う「哲学」と、生きることを考える「家庭科」。この二つの分野は、AIと共生する社会の未来を考える機会を提供してくれると期待しています。

## ◎未来を考える二〇の問い

本書もいよいよ最後になりました。ＡＩの技術的な説明から、社会的な影響まで、いろいろ考えてくる視点を提供してきました、でもそこには明確な正解はありませんでした。結局、一人ひとりが考え、意見を出し合い、共有し、実行しながら振り返り、改善していくしか方法はなさそうです。一人の天才が現れて解決してくれることもなさそうです。自分たちの問題として、地域の問題として、世界の問題として、多様な背景を持つ人々が関わり、議論し、実践していく。その間も考え続けることをやめてはいけません。

さあそこで、二〇年後の○○を考えてみましょう。○○には、衣食住という生活環境、仕事の環境、家庭、地域、国、世界、地球などが入ります。二〇年後に予想される変化にはどんなものがあるでしょう。そのとっかかりとして、以下の二〇の問いについて考えてみてください。

〈小説・漫画・映画・アニメ〉

①近未来が描かれた小説や漫画を読んだことがありますか？　近未来が描かれた映画、アニメを見たことがありますか？　それらには、どんなＡＩやロボットが出てきました

か？　その中でどれが自分の理想に近いですか？　それはなぜですか？

〈機械と人間〉

②現在、コンピュータが人間よりも得意とする活動は何でしょうか？　コンピュータよりも人間の方が得意とする活動は何でしょうか？

③今後AIが人間に完全に取って代わるような職場は身近にあるでしょうか？　あるとしたらそれはどんなところでしょうか？

④コンピュータは創造的な思考をすることができるでしょうか？

⑤知能、知性という言葉の意味を説明できますか？

⑥人間の知能は、AIとどう違うのでしょうか？

⑦AIは人間以上の知能を持つようになっているでしょうか？

⑧コンピュータも意識を持つようになるでしょうか？　意識は人間特有のものですか？

〈道徳・倫理に関する問題〉

⑨自動運転の車が起こした事故の責任は誰が負うべきでしょうか？　車に乗っていた人、

無人運転の場合は車の所有者、車を製造した会社、運転プログラムを書いた人、売った会社、国家？

⑩ＡＩやロボットを戦争に使うことは許されるでしょうか。どうすればみんなで使わないようにできるでしょうか？

⑪ＡＩ利用の危険性はどんなところにありますか？　それは回避できますか？

⑫ＡＩが人間の行動を予測し、その予測によって人間の生き方や社会のあり方を変更しても問題ないでしょうか？

⑬コンピュータやＡＩを一切使わないとする社会の方が、良い社会になるでしょうか？

⑭人間と同じような行動をするＡＩやロボットを作るべきでしょうか？

⑮将来、ＡＩやロボットは人間と同じ権利を持つべきでしょうか？

⑯未来では、ＡＩは私たち人間をどのように扱うのでしょうか？　民族や人種、性別などの偏見はなくなるでしょうか？

〈あなた自身の気持ち〉

⑰ＡＩに助けてもらいたいことはありますか？

⑱あなたがコンピュータやAIをコントロールしていくのか、それともコンピュータやAIがあなたをコントロールするようになるのでしょうか？

⑲コンピュータ、AI、ロボットなどがいない世界をあなたは望みますか？

AIは私たちに幸福な世界を与えてくれるでしょうか。それはYESでもありNOでもあります。SDGsの基本理念に「Leaving No One Behind」があります。誰ひとり取り残さない。そのために、私たち一人ひとりが、多様な人々がいることを常に意識するよう心がけ、共感を持って、社会を作っていければ、そしてそこに適切に技術を活かしていければ、よりよい社会が実現できると思うのです。

最後の問いです。

⑳二〇年後にあなたは何をしていると思いますか？

答えを書き留めておいてください。本書にそのメモを挟んでおくのも良いかもしれません。そして二〇年後にもう一度本書を読んで確認してみてください。

本書で問題として取り上げてきたことは、解決されているでしょうか。

あなたは考え続けているでしょうか。

自分の予想した二〇年後は同じでしたか?

# おわりに

「AIは創造的なことはできない。それは人間だけができることだ」と考えるのは正しいでしょうか。創造的であることを、他の人が思いつかないようなことを考える、という意味でとらえれば、1章の料理のAIで紹介したように、これまで人間が思いつかなかった組み合わせでおいしい料理を提案できるAIシステムは、十分創造的だといえるでしょう。

このことと同様に、「AIはかしこいか？」「AIは人間よりかしこいか？」に答えるためには「かしこい」とはどういったことを指すのか、その定義を決める必要があります。AIは「かしこい」「理解している」ということは、2章のチューリングテストや中国語の部屋で説明したように、その結果だけを見て、その答えが正しければ良いとするならば、「AIはかしこい」といえるでしょう。

しかし本書で説明してきたように、AIは内部で記号と数値の処理を行いますが、その過程は人間が行っていることとは異なります。AIは計算が速かったり、パターンを見つけるのが上手だったりしますが、人間が意味を理解するといったことや、考えて答えを出す、新たな考え方を見出すということとは基本的に異なる処理をしています。このことを理解した上で、AIを活用し、修正しながら開発を進めていく必要があります。

こういった状況の中でみなさんには、これからもずっと「考える」ということを続けていって欲しいのです。一つのものだけを見て、何の基準もないところでは、良いとも悪いとも判断することはできません。好き嫌いも同様です。異なるところを見つけて、その違いを意識し、それをきっかけに考えはじめること。それを言葉にしていくこと。そういった経験を繰り返していくことが重要だと思うのです。そのためには自分から進んでいろいろなものを見、ときには外の世界に出ていくこと。

何を感じ、何を考えたかを言葉にしていくことは、自分の考えを他人に伝えるためだけでなく、自分のためでもあります。最近、新聞やテレビ、ネットで様々なニュースが流れています。自分に心地よい意見だけを聞くのではなく、違う見方、異なる意見があることを知る。そうすることで、その中に共通点や、違いを包み込むようなもう一つ大きな考え方を見つけられる可能性もあります。

体を動かして考えることもあります。プロ野球選手がゴルフを始めると、普通の人より上達が速いそうです。これは水泳やスケート、柔道などのスポーツ選手も同じかもしれません。スポーツ選手は体を動かすための土台ができているので、他のスポーツをやる時にも体の重心を意識し、体の細部を目的に合わせて調整することができるからだと考えます。このことと同様に、ものの見方や考えるための土台ができていれば、課題に直面した時、ものごとの本質を見出し、周囲の状況を勘案しつつ調整し、解決につなげていくことができるはずです。みなさんにはその土台づくりをしていって欲しいのです。

人はそれぞれ異なる、身体的、精神的、社会的特徴を持っています。それらの人々と共に生きていくこと。そこにはAIやロボットも入ってくることでしょう。学校で、課外活動で、そして日常生活で、なんか変だな、不思議だな、なぜなんだろうと考えること。そしてそれを言葉にして、ときには仲間を見つけ、行動すること。このことは、今から九年前に書いたジュニア新書『理系女子的生き方のススメ』でお話ししたことです。私は多くの仲間に囲まれて暮らしています。その仲間との活動がいろいろなアイデアや視点、考えるきっかけをもたらしてくれます。この本が書けたのも、日頃からの仲間との議論があったからです。

二二世紀まで生きる読者のみなさん、学び続ける力、考え続ける力という「魔法の杖」を持ってください。この杖は生涯有効です。チャンスという「バス」が来たら乗ってみてください。乗ってみれば、そこにはきっと今まで見たことのない世界が広がっていることでしょう。でも乗らないことには始まりません。乗ってみて違うなと思ったら、一度降りて、また違うバスに乗ればよいのです。

最後に、私がバスに乗って出会った三名のAIに関わる研究者を紹介したいと思います。一九八五年に留学するきっかけとなった、プログラミング言語LOGOを開発した、数学者で教育者でもあるシーモア・パパート、二〇〇一年MITの客員研究員となった時のホストで、人工知能の父と呼ばれるマービン・ミンスキー、未来大の研究プロジェクトがきっかけで交流が続いた芸術家で、コンピュータ画家AARONを開発したハロルド・コーエン。彼らに共通しているのは、学ぶ、考える、絵を描くといった人間の活動の「本質とは何か」を問い続ける姿勢です。奇しくも彼らは同じ二〇一六年に亡くなりました。

さあみなさん、魔法の杖を持って、バスがきたら乗りましょう。AIの時代は既に始まっています。

＊尚、参考文献は、左記ウェブサイトからご覧頂けます。

美馬のゆり
公立はこだて未来大学教授．東京都生まれ．ハーバード大学大学院，東京大学大学院，電気通信大学大学院修了．博士(学術)．専門は教育工学，学習科学，学習環境デザイン．公立はこだて未来大学の設立計画策定に携わり，開学時に函館に移住．MIT メディアラボ客員研究員，日本科学未来館副館長，NHK 経営委員，カリフォルニア大学バークレー校 AI ラボ客員研究員，日本学術会議第 26 期会員．著作に『理系女子的生き方のススメ』(岩波ジュニア新書)，『学習設計マニュアル』(共著，北大路書房)など．
美馬のゆり研究室(参考図書リスト)：https://noyuri.jp/living-in-the-age-of-ai-introduction

AI の時代を生きる
──未来をデザインする創造力と共感力　岩波ジュニア新書 941

2021 年 10 月 20 日　第 1 刷発行
2024 年 5 月 24 日　第 3 刷発行

著　者　美馬《みま》のゆり

発行者　坂本政謙

発行所　株式会社 岩波書店
〒101-8002 東京都千代田区一ツ橋 2-5-5
案内 03-5210-4000　営業部 03-5210-4111
ジュニア新書編集部 03-5210-4065
https://www.iwanami.co.jp/

印刷・理想社　カバー・精興社　製本・中永製本


ISBN 978-4-00-500941-1　Printed in Japan

# 岩波ジュニア新書の発足に際して

きみたち若い世代は人生の出発点に立っています。きみたちの未来は大きな可能性に満ち、陽春の日のようにひかり輝いています。勉学に体力づくりに、明るくはつらつとした日々を送っていることでしょう。

しかしながら、現代の社会は、また、さまざまな矛盾をはらんでいます。営々として築かれた人類の歴史のなかで、幾千億の先達《せんだつ》たちの英知と努力によって、未知が究明され、人類の進歩がもたらされ、大きく文化として蓄積されてきました。にもかかわらず現代は、核戦争による人類絶滅の危機、貧富の差をはじめとするさまざまな人間的不平等、社会と科学の発展が一方においてもたらした環境の破壊、エネルギーや食糧問題の不安等々、来るべき二十一世紀を前にして、解決を迫られているたくさんの大きな課題がひしめいています。現実の世界はきわめて厳しく、人類の平和と発展のためには、きみたちの新しい英知と真摯《しんし》な努力が切実に必要とされています。

きみたちの前途には、こうした人類の明日の運命が託されています。ですから、たとえば現在の学校で生じているささいな「学力」の差、あるいは家庭環境などによる条件の違いにとらわれて、自分の将来を見限ったりはしないでほしいと思います。個々人の能力とか才能は、いつどこで開花するか計り知れないものがありますし、努力と鍛練の積み重ねの上にこそ切り開かれるものですから、簡単に可能性を放棄したり、容易に「現実」と妥協したりすることのないようにと願っています。

わたしたちは、これから人生を歩むきみたちが、生きることのほんとうの意味を問い、大きく明日をひらくことを心から期待して、ここに新たに岩波ジュニア新書を創刊します。現実に立ち向かうために必要とする知性、豊かな感性と想像力を、きみたちが自らのなかに育てるのに役立ててもらえるよう、すぐれた執筆者による適切な話題を、豊富な写真や挿絵とともに書き下ろしで提供します。若い世代の良き話し相手として、このシリーズを注目してください。わたしたちもまた、きみたちの明日に刮目《かつもく》しています。(一九七九年六月)

949 進化の謎をとく発生学
―恐竜も鳥エンハンサーを使っていたか
田村宏治
進化しているのは形ではなく形作り。キーワードは、「エンハンサー」です。進化発生学をもとに、進化の謎に迫ります。

950 漢字ハカセ、研究者になる
笹原宏之
著名な「漢字博士」の著者が、当て字、国字、異体字など様々な漢字にまつわるエピソードを交えて語った、漢字研究者への成長記。

951 作家たちの17歳
千葉俊二
太宰も、賢治も、芥川も、漱石も、まだ「文豪」じゃなかった――十代のころ、彼らは何に悩み、何を決意していたのか？

952 ひらめき！ 英語迷言教室
―ジョークのオチを考えよう
右田邦雄
ユーモアあふれる英語迷言やひねりのきいたジョークのオチを考えよう！ 笑いながら英語力がアップする英語トレーニング。

953 大絶滅は、また起きるのか？
高橋瑞樹
生物たちの大絶滅が進行中？ 過去五度あった大絶滅とは？ 絶滅とはどういうことでなぜ問題なのか、様々な生物を例に解説。

954 いま、この惑星で起きていること
気象予報士の眼に映る世界
森さやか
世界各地で観測される異常気象を気象予報士の立場で解説し、今後を考察する。雑誌『世界』で大好評の連載をまとめた一冊。

955
世界の神話 躍動する女神たち
沖田瑞穂
強い、怖い、ただでは起きない、変わってる⁉ 世界の神話や昔話から、おしとやかなイメージをくつがえす女神たちを紹介！

956
16テーマで知る 鎌倉武士の生活
西田友広
鎌倉武士はどのような人々だったのでしょうか？ 食生活や服装、住居、武芸、恋愛など様々な視点からその姿を描きます。

957
〝正しい〟を疑え！
真山 仁
不安と不信が蔓延する社会において、自分を信じて自分らしく生きるためには何が必要なのか？ 人気作家による特別書下ろし。

958
津田梅子—女子教育を拓く
髙橋裕子
日本の女子教育の道を拓き、シスターフッドを体現した津田梅子の足跡を、最新の研究成果・豊富な資料をもとに解説する。

959
学び合い、発信する技術—アカデミックスキルの基礎
林 直亨
アカデミックスキルはすべての知的活動の基盤。対話、プレゼン、ライティング、リーディングの基礎をやさしく解説します。

960
読解力をきたえる英語名文30
行方昭夫
英語力の基本は「読む力」。先生と生徒の対話形式で、新聞コラムや小説など、とっておきの例文30題の読解と和訳に挑戦！

961 森鷗外、自分を探す　出口智之

文豪で偉い軍医の天才？　激動の時代の感覚に立って作品や資料を読み解けば、自分探しに悩む鷗外の姿が見えてくる。

962 巨大おけを絶やすな！　日本の食文化を未来へつなぐ　竹内早希子

しょうゆ、みそ、酒を仕込む、巨大な木おけ。途絶えかけた大おけづくりをつなぎ、その輪を全国に広げた奇跡の奮闘記！

963 10代が考えるウクライナ戦争　岩波ジュニア新書編集部編

この戦争を若い世代はどう受け止めているのでしょうか。高校生達の率直な声を聞き、平和について共に考える一冊です。

964 ネット情報におぼれない学び方　梅澤貴典

新しい時代の学びに即した情報の探し方や使い方、更にはアウトプットの方法を図書館司書の立場からアドバイスします。

965 10代の悩みに効くマンガ、あります！　トミヤマ ユキコ

悩み多き10代を多種多様なマンガを通してお助けします。萎縮したこころとからだがふわっと軽くなること間違いなしの一冊。

966 新種発見物語　―足元から深海まで11人の研究者が行く！　島野智之編著　脇　司

虫、魚、貝、鳥、植物、菌など未知の生物の探究にワクワクしながら、分類学の基礎も楽しく身につく、濃厚な入門書。

967
## 核のごみをどうするか
―もう一つの原発問題
今田高俊・寿楽浩太・中澤高師

原子力発電によって生じる「高レベル放射性廃棄物」をどのように処分すればよいのか。問題解決への道を探る。

968
## 扉をひらく哲学
―人生の鍵は古典のなかにある
中島隆博・梶原三恵子・納富信留・吉水千鶴子 編著

親との関係、勉強する意味、本当の自分とは?……人生の疑問に、古今東西の書物をひもといて、11人の古典研究者が答えます。

969
## 在来植物の多様性がカギになる
―日本らしい自然を守りたい
根本正之

日本らしい自然を守るにはどうしたらいい? 在来植物を保全する方法は? 自身の保全活動をふまえ、今後を展望する。

970
## 知りたい気持ちに火をつけろ!
―探究学習は学校図書館におまかせ
木下通子

レポートの資料を探す、データベースで情報検索する……、授業と連携する学校図書館の活用法を紹介します。

971
## 世界が広がる英文読解
田中健一

英文法は、新しい世界への入り口です。楽しく読む基礎とコツ、教えます。英語力不問、この1冊からはじめよう!

972
## 都市のくらしと野生動物の未来
高槻成紀

野生動物の本当の姿や生き物同士のつながりを知る機会が減った今。正しく知ることの大切さを、ベテラン生態学者が語ります。